UNION GÉNÉRALE D'ÉDITIONS
8, rue Garancière - Paris VIᵉ

LE FANTÔME
DU TEMPLE

PAR
ROBERT VAN GULIK

*Avec neuf illustrations
de l'auteur, dans le style chinois*

Traduit de l'anglais
par Anne KRIEF

INÉDIT

*Série « Grands Détectives »
dirigée par Jean-Claude Zylberstein*

Titre original :
The Phantom of The Temple

LE FANTÔME DU TEMPLE

Dans le district de Lan-fang, aux confins des frontières de l'Ouest, séparé des vastes steppes tartares de l'Asie centrale par un simple fleuve, le juge Ti est confronté à l'une des plus effrayantes affaires criminelles de sa longue carrière, affaire qu'il élucide brillamment.

Au-delà de la porte de l'Est, sur une colline boisée, un fantôme fait son apparition dans un séculaire temple bouddhique, où une série de meurtres atroces sont commis. L'enquête du juge Ti se complique avec la découverte d'un mystérieux message d'une jeune fille, Jade, et le vol d'une considérable quantité d'or que transportait le trésorier impérial.

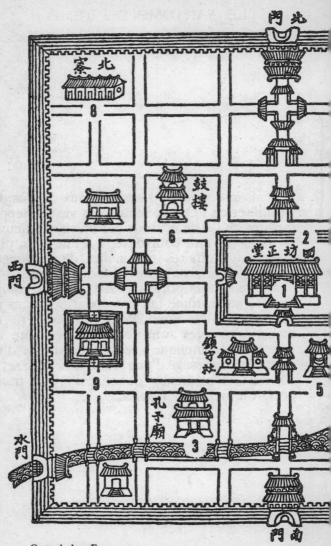

Carte de Lan-Fang

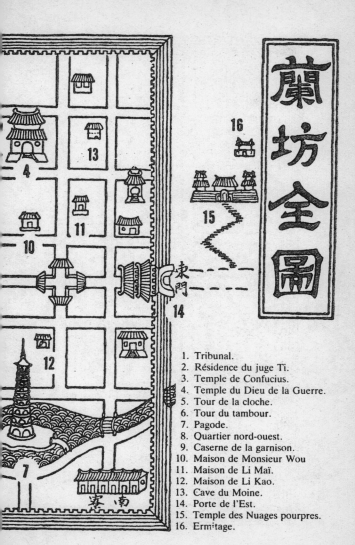

蘭坊全圖

東門

寨南

1. Tribunal.
2. Résidence du juge Ti.
3. Temple de Confucius.
4. Temple du Dieu de la Guerre.
5. Tour de la cloche.
6. Tour du tambour.
7. Pagode.
8. Quartier nord-ouest.
9. Caserne de la garnison.
10. Maison de Monsieur Wou
11. Maison de Li Maï.
12. Maison de Li Kao.
13. Cave du Moine.
14. Porte de l'Est.
15. Temple des Nuages pourpres.
16. Ermitage.

LES PERSONNAGES

En Chine, le nom de famille
(imprimé ici en majuscules)
précède toujours le nom personnel.

PERSONNAGES PRINCIPAUX :

TI Jen-tsie
Magistrat nommé en 670 à Lan-fang,
district situé à la frontière occidentale
de l'Empire T'ang.

HONG Liang
fidèle conseiller du juge
et sergent du tribunal.

MA Jong
un des lieutenants du juge Ti.

AUTRES PERSONNAGES :

Seng-san,
un malfrat.

Lao-wou,
son frère.

Ah-liou,
son ami.

Le Moine,
chef des mendiants.

Madame CHANG,
Abbesse du Temple des Nuages pourpres.

Nuage de Printemps,
sa servante.

Tala,
Sorcière et magicienne bouddhiste.

LI Maï,
banquier et négociant en or et argent.

LI Ko,
son frère, peintre.

WOU Tsung-jen,
ancien préfet.

Madame WOU,
son épouse.

YANG Mou-té,
candidat aux examens littéraires.

I

*Une femme fait état
de ses connaissances anatomiques ;
son compagnon se montre plus sensible
à des considérations sentimentales.*

Elle contempla en silence la margelle du vieux puits, ou plutôt ce qui y était posé. Pas un souffle d'air ne venait rafraîchir l'atmosphère étouffante et humide qui pesait sur le jardin du temple plongé dans les ténèbres. Des amandiers qui déployaient leurs branches au-dessus d'eux, quelques fleurs, étonnamment blanches dans le halo de la lanterne, tombaient en légers flocons ; plus blanches encore lorsqu'elles venaient se coller au sang qui maculait les pierres usées par les ans.

— Jette-la aussi dans le puits ! susurra-t-elle en serrant sa large robe contre sa poitrine à l'homme qui se tenait à ses côtés. C'est le plus sûr ; ce vieux puits ne sert plus depuis des années. A mon avis, personne n'en connaît même l'existence.

Après avoir jeté un regard anxieux à la femme pâle et impassible, il posa la lanterne sur un petit monticule de pierres et de briques cassées auprès du puits et dénoua nerveusement son foulard.

— Je tiens à mettre toutes les chances de notre côté. Je vais l'envelopper et... (s'apercevant que sa voix résonnait dans le silence du jardin, il poursuivit dans un murmure :) l'enterrer au milieu des arbres, derrière le temple. Ce vieil ivrogne dort comme un sonneur et personne ne passera dans les environs, à cette heure avancée de la nuit.

D'un air imperturbable, elle le regarda envelopper la tête coupée dans son foulard ; ses mains tremblaient si violemment qu'il ne parvenait pas à en nouer les bouts.

— Je n'y peux rien ! se défendit-il. C'est au-dessus de mes forces. Comment as-tu pu... par deux fois, et avec autant de dextérité ?

La femme haussa les épaules.

— Il suffit de connaître l'emplacement des vertèbres, répondit-elle d'un ton détaché.

Puis elle se pencha sur la margelle du puits. D'épaisses touffes de lierre retombaient en rideaux dans les profondeurs obscures en s'accrochant à la corde à demi pourrie, où autrefois pendait un seau. Le feuillage des vieux arbres environnants frémit ; il y eut comme une averse de pétales blancs, dont quelques-uns lui tombèrent sur la main. Ils étaient aussi froids que la neige.

— L'hiver dernier, dit-elle posément en secouant la main, ce jardin était tout blanc de neige. Tout blanc...

Elle laissa sa phrase en suspens.

— Oh oui ! répondit-il avec empressement. En ville aussi, c'était très beau. Des chandelles de glace pendaient aux poutres de la pagode du

Lac des Lotus comme autant de clochettes. (Il essuya son visage moite et ajouta :) L'air était si pur... je me souviens que le matin...

— Ne te souviens pas, l'interrompit-elle froidement. Oublie ! Pense à l'avenir. Car, à présent, nous allons pouvoir le posséder. Pleinement. Allons-y maintenant, et sortons-le d'ici.

— Maintenant ? s'exlama-t-il stupéfait. Juste après... Je suis à bout de forces, crois-moi, ajouta-t-il devant son air méprisant.

— A bout de forces ? Toi qui te vantes toujours de ta résistance !

— Mais nous n'avons plus aucun besoin de nous presser, n'est-ce pas ? Nous pouvons venir le chercher quand nous voudrons. Et nous...

— Quant à moi je suis pressée. Enfin... J'imagine qu'il ne s'envolera pas. Après tout, pour une nuit...

Il la regarda d'un air malheureux. Elle rentrait de nouveau en elle-même, s'éloignait de lui. Et son désir d'elle était si violent qu'il en ressentit comme une souffrance.

— Pourquoi ne peux-tu m'appartenir, n'appartenir qu'à moi seul ? se lamenta-t-il. Tu sais que je ferai tout ce que tu voudras, je te l'ai déjà prouvé, je...

Il se tut, voyant qu'elle ne l'écoutait plus. Elle fixait un coin de ciel entre les branches couvertes de fleurs blanches. Les toits des deux tours élancées se détachaient distinctement dans la nuit, de part et d'autre du temple, dans une parfaite symétrie.

II

*Le juge Ti évoque avec ses lieutenants
une affaire ancienne ; un coffret d'ébène
lui transmet un appel au secours.*

Le lendemain, aux premières heures de la matinée, un air chaud et lourd pesait toujours sur Lan-fang. En revenant dans son cabinet de travail, après sa promenade matinale, le juge Ti s'aperçut avec contrariété que sa robe de coton, trempée de sueur, lui collait aux épaules. Il sortit de sa manche le petit coffret de bois et le posa sur son bureau, puis se dirigea vers son coffre à vêtements. Après avoir revêtu une robe d'été de coton bleu, il ouvrit la fenêtre et regarda au-dehors. Ma Jong, son corpulent lieutenant, traversait la cour pavée du yamen, un cochon rôti sur les épaules. Il fredonnait une chanson. Dans la cour déserte, cette voix semblait étrangement lointaine.

Le juge ferma la fenêtre et s'assit à son bureau recouvert de papiers. Se passant la main sur le visage, il se dit qu'en ce jour, pour lui aussi la gaieté était tout particulièrement de mise. Son regard se posa sur la petite boîte d'ébène. Le disque de jade vert qui en ornait le couvercle lisse et noir brillait d'un sombre éclat. Au cours de sa promenade en ville, il avait aperçu le coffret dans la vitrine d'un antiquaire et l'avait aussitôt acheté, car le disque de jade portait gravée en caractères stylisés l'inscription « longue vie », ce qui était tout à fait approprié à l'événement du jour. Il n'avait pas la moindre raison de se sentir aussi abattu. Il devait se ressaisir. Cette existence fastidieuse dans une province frontalière, éloignée de tout, était difficile à supporter. Il ne fallait pas qu'il se laissât aller à ces accès de dépression.

D'un geste décidé, il fit de la place sur son bureau en repoussant un volumineux dossier et frappa dans ses mains pour appeler un serviteur. Un petit déjeuner le remettrait d'aplomb et dissiperait un malaise auquel la chaleur ne devait probablement pas être étrangère. Il prit son grand éventail en plumes de grue et, se renversant dans son fauteuil, s'éventa lentement.

La porte s'ouvrit et un vieillard chenu entra en traînant les pieds. Il portait une longue robe bleue et un petit bonnet noir coiffait ses cheveux gris. Après avoir souhaité le bonjour au magistrat, il posa précautionneusement le plateau du petit déjeuner sur le bureau. Tandis qu'il disposait la théière ainsi que les plats de poisson salé et de légumes, le juge lui dit en souriant :

— Tu aurais dû laisser au serviteur le soin de m'apporter mon petit déjeuner, Hong ! Pourquoi t'en charger ?

— Je passai par la cuisine, Excellence. J'ai vu que Ma Jong avait trouvé chez le boucher un cochon rôti d'une taille étonnante !

— Oui, ce sera notre plat de résistance, ce soir. Allez, donne-moi cette théière, je peux me servir tout seul ! Assieds-toi, Hong !

Mais le vieillard secoua résolument la tête et s'empressa de verser au juge une tasse de thé bouillant, puis plaça devant lui le bol de riz fumant et aromatisé. Il avait observé à la dérobée les traits tirés du juge. Au service de la famille du magistrat depuis l'enfance de ce dernier, le sergent Hong savait discerner les moindres variations d'humeur de son maître.

— Je n'ai pas très bien dormi cette nuit, Hong. Cet appétissant petit déjeuner va me remettre d'aplomb.

— Le climat de Lan-fang est en effet très éprouvant, remarqua le sergent Hong d'une voix claire et nette. Des hivers froids et pluvieux, suivis d'étés chauds et humides, accompagnés de bourrasques glacées venues de la plaine désertique, de l'autre côté de la frontière. Vous devriez faire un peu attention à vous, on attrape facilement un refroidissement. (Il but une gorgée de thé en soulevant délicatement ses longues moustaches grises de la main gauche, puis reprit après avoir reposé la tasse :) Hier soir, j'ai vu les chandelles brûler jusqu'à une heure avancée de la nuit, Excellence. Rien de grave, j'espère ?

— Non, rien de particulier, répondit le juge en secouant la tête. Il ne se passe rien de notable ici, Hong, depuis six mois que j'y ai restauré l'ordre et la loi. Quelques meurtres dans les faubourgs, un vol ou deux, c'est pratiquement tout ! La routine administrative est notre principale occupation : enregistrement des naissances, des mariages et des décès, règlement des petits différends, perception des impôts…, c'est très calme, je dirai même trop calme ! (Le juge rit, mais d'un rire qui sonna faux aux oreilles du vieil intendant.) Pardonne-moi, Hong, s'empressa d'ajouter le juge. Je suis seulement un peu fatigué, cela va passer très vite. La situation de mes épouses est en revanche nettement plus préoccupante : elles n'ont pas une vie très plaisante ici. Elles ne se sont fait pratiquement aucune amie dans cette petite ville provinciale, et ont fort peu de distractions ; ni pièces de théâtre à voir, ni excursions agréables… Et l'influence des Tartares se fait encore sentir, au point que nos fêtes chinoises traditionnelles sont négligées. C'est pourquoi je me réjouis tant de la petite réception de ce soir, en l'honneur de ma Première Epouse.

Le juge Ti hocha la tête et mangea un moment en silence. Puis il posa ses baguettes et se renversa dans son fauteuil.

— Tu me demandais ce que je faisais la nuit dernière, Hong. Eh bien, en fouillant dans les archives du tribunal, je suis tombé sur le dossier concernant cette fameuse affaire qui s'est déroulée ici même et n'a jamais été élucidée : le vol de l'or du trésorier impérial.

— Pourquoi vous intéresser à cette affaire, Excellence ? Elle remonte à l'année dernière, avant votre nomination à Lan-fang !

— C'est exact, ce vol s'est produit le deuxième jour du huitième mois de l'Année du Serpent, pour être précis. Mais tu sais combien les affaires non éclaircies m'ont toujours intéressé, Hong, qu'elles soient anciennes ou récentes !

Le vieillard opina lentement du bonnet.

— Je me rappelle avoir appris ce vol par la Gazette impériale, alors que nous étions encore à Pou-yang. Cela a fait grand bruit dans les milieux officiels. Le trésorier, qui avait pour mission d'acheter au Khan des Tartares des chevaux destinés aux haras impériaux, devait franchir la frontière dans la région, avec cinquante lingots d'or.

— C'est cela, Hong. L'or fut volé en pleine nuit et remplacé par du plomb. On n'a jamais retrouvé le voleur et...

Un coup fut frappé à la porte et Ma Jong fit son apparition, un large sourire aux lèvres.

— J'ai acheté le plus beau cochon rôti que j'aie pu trouver, Excellence ! annonça-t-il.

— Je t'ai vu le rapporter, Ma Jong. Nous n'attendons qu'une seule invitée ce soir, une amie de mes épouses, et elle est végétarienne. Il restera donc largement de quoi vous nourrir tous. Assieds-toi, j'étais en train d'évoquer avec le sergent Hong le vol de l'or du trésorier, l'année dernière.

Le lieutenant se laissa tomber pesamment sur le second tabouret.

— Un trésorier impérial est censé savoir protéger l'or qui lui est confié, remarqua-t-il d'un ton détaché. Il est payé pour ça ! Effectivement, je me souviens de cette histoire. Mais ce gars-là n'a-t-il pas été purement et simplement démis de ses fonctions ?

— Oui, en effet, répondit le juge. On n'a

retrouvé ni l'or ni le voleur, malgré le soin extrême avec lequel l'enquête a été menée. C'est un dossier très instructif, Ma Jong, ajouta-t-il en posant la main sur la liasse de documents. Il mérite d'être étudié attentivement. Le magistrat a commencé par interroger le capitaine et les soldats de l'escorte du trésorier. Etant donné que le transport d'une telle quantité d'or constitue un véritable secret d'Etat et que seul le trésorier était au courant, le magistrat en déduisit que le voleur faisait partie de l'escorte. Un autre élément confirmait cette analyse : le trésorier avait pour bagages trois coffres en cuir, de taille, forme et couleur rigoureusement identiques, et tous trois pourvus des mêmes cadenas. La seule marque distinctive consistait en une légère craquelure sur le côté du coffre qui contenait le métal précieux. Or, seul celui-ci fut ouvert. Les deux autres, qui contenaient les vêtements du trésorier et autres effets personnels, ne furent même pas touchés. Voilà pourquoi le magistrat a immédiatement soupçonné les membres de l'escorte.

— Par ailleurs, remarqua le sergent Hong, le voleur a remplacé l'or par du plomb ; et ce, de toute évidence, afin que le trésorier ne découvrît le vol que bien plus tard, après son arrivée en territoire tartare. Ceci semblait disculper les membres de l'escorte ; les soldats savent tous que le règlement administratif oblige quiconque convoie de l'or pour le gouvernement à s'assurer que sa cargaison est intacte, aussi bien le soir avant de se coucher que le matin dès son lever.

— C'est juste, répondit le juge. Toutefois,

selon mon prédécesseur, la substitution opérée par le voleur avait pour but de faire croire que le vol avait été commis par un étranger.

Ma Jong s'était levé pour se diriger vers la fenêtre. Après avoir scruté la cour déserte, il dit en fronçant les sourcils :

— Que peut bien faire ce paresseux de chef des sbires ? Il devrait être en train de faire faire leur exercice matinal à ses hommes ! (Devant l'air contrarié du juge, il s'empressa d'ajouter :) Désolé, Excellence ! Mais depuis le départ de Tsiao Taï et de Tao Gan à la capitale pour y discuter de la réduction de notre garnison, je suis obligé de surveiller tout seul les sbires et les gardes. (Il se rassit et, soucieux de manifester son intérêt pour la discussion, demanda :) Le voleur a-t-il laissé des indices derrière lui ?

— Aucun, répliqua sèchement le juge. La chambre des invités occupée par le trésorier, ici même, ne comporte qu'une porte et une fenêtre, comme tu le sais. La porte fut gardée toute la nuit par quatre soldats postés dans le couloir. Le voleur est entré par la fenêtre ; il a déchiré un des panneaux de papier huilé, glissé la main au travers et réussi à débloquer la barre transversale.

Le sergent Hong avait approché de lui le volumineux dossier et le feuilletait.

— Le magistrat a bien pris toutes les mesures qui s'imposaient, dit-il en hochant la tête. Lorsque l'escorte du trésorier fut mise tout à fait hors de cause, il fit rafler tous les voleurs de la ville ainsi que les receleurs. Par ailleurs, il…

— Il a fait une erreur, Hong, interrompit le

juge. Celle d'avoir limité ses recherches au seul district de Lan-fang.

— En quoi a-t-il eu tort ? s'étonna Ma Jong. Le vol a été commis ici, non ?

Le juge se redressa sur son siège.

— Oui, en effet, mais il a pu être préparé ailleurs, avant l'arrivée du trésorier à Lan-fang. C'est pourquoi j'aurais commencé par ordonner des recherches minutieuses à Tong-kang, le district voisin, de l'autre côté des montagnes. Le trésorier y a également passé une nuit. Quelqu'un a dû apprendre d'une manière ou d'une autre qu'il transportait une petite fortune, et ce dans un coffre reconnaissable à une craquelure du cuir. Ce précieux renseignement est parvenu à Lan-fang avant le trésorier. Appelle le premier scribe, Ma Jong !

Le sergent Hong avait l'air sceptique.

— Selon ce raisonnement, Excellence, dit-il en tiraillant sa fine barbiche, le voleur aurait très bien pu apprendre ce secret n'importe où sur le trajet depuis la capitale. Ou peut-être même avant le départ du trésorier !

— Non, Hong. Il existe une preuve formelle que le secret a été éventé à Tong-kang. Le trésorier a précisé dans son rapport officiel consigné ici que le coffre contenant l'or s'était abîmé juste avant son arrivée à Tong-kang. Probablement à cause du poids excessif de l'or.

Ma Jong introduisit un homme maigre et âgé. Le scribe s'inclina très bas, souhaita le bonjour au juge, puis attendit respectueusement que le magistrat lui adressât la parole.

— Je rassemble des éléments d'enquête sur le

24

vol de l'or du trésorier, dit le juge. Je voudrais que tu te rendes à Tong-kang, sa dernière étape avant Lan-fang. Tu te présenteras au tribunal du lieu et tâcheras d'y trouver quelqu'un qui se souvienne du passage du trésorier. Je désire savoir s'il a reçu des visites au cours de cette soirée, si on lui a fourni une jeune femme, si on lui a remis des messages, bref tout ce que tu pourras découvrir.

Le juge Ti choisit un formulaire officiel dans la pile de papiers amoncelée sur son bureau et y traça quelques phrases d'introduction à l'attention de son collègue de Tong-kang. Après y avoir apposé le grand sceau rouge du tribunal, il tendit le document au scribe.

— Tu vas partir immédiatement. Pendant qu'on te prépare un cheval, prends donc connaissance du dossier. Tâche d'être de retour après-demain.

— Parfait, Noble Juge.

Le scribe s'apprêtait à prendre congé quand Ma Jong lui demanda :

— Sais-tu où se trouve le chef des sbires ?

— Il est allé arrêter un malfaiteur. Il y a eu une bagarre cette nuit dans un débit de boissons, et un voyou a tué une espèce de malfrat.

— Bien, répondit le juge. Puisqu'il s'agit visiblement d'un banal règlement de comptes, nous n'aurons pas un besoin particulier de tes services. Tu peux te mettre en route. Bonne chance !

— Alors, comme ça, notre valeureux chef des sbires est parti arrêter un assassin ! railla Ma Jong après le départ du scribe. Et sans le moindre mandat, naturellement ! S'il ne fait pas un peu attention, il va tomber malade un jour ou l'autre, à force de travailler comme une bête !

— Quel dommage de n'avoir pu garder le vieux Fang à la tête des sbires, remarqua le sergent Hong. A propos, Noble Juge, qu'est-ce que ce coffret ? Il n'était pas sur votre bureau hier.

— Un coffret ? s'étonna le juge tiré de ses réflexions. Ha ! Ça ? Je l'ai acheté chez un antiquaire, derrière le Temple de Confucius, il y a une demi-heure à peine, lors de ma promenade matinale. Je l'offrirai ce soir à ma Première Epouse lors du dîner organisé en l'honneur de son anniversaire.

Le juge prit le coffret et le montra à ses lieutenants.

— Le caractère « longue vie » gravé sur le disque de jade en fait un présent des plus appropriés pour un anniversaire. C'est un superbe exemple de calligraphie ancienne ; tout comme le caractère qui sert de motif au claustra de cette fenêtre, ajouta-t-il en désignant le panneau ajouré.

Le juge Ti tendit le coffret à Ma Jong qui le contempla d'un air admiratif avant de remarquer :

— La taille idéale pour y ranger des cartes de visite. (Puis il approcha le coffret de ses yeux.) Dommage que le couvercle soit un peu abîmé. Un imbécile a essayé de griffonner le mot « entrée », là d'un côté du disque ; et de l'autre côté, on dirait qu'il a essayé d'écrire « en dessous ». Laissez-le-moi pour la matinée,

Le juge Ti montre à ses lieutenants un cadeau d'anniversaire

Excellence. Après l'audience, je l'apporterai chez un ébéniste que je connais, près de la porte du Sud ; il repolira correctement le couvercle.

— Oui, c'est une bonne idée. Que regardes-tu ?

Ma Jong, qui avait machinalement ouvert le coffret, examinait l'intérieur du couvercle.

— Il y a un petit morceau de papier collé, grommela-t-il.

— C'est l'étiquette du prix, répondit le juge. Enlève-la, veux-tu ?

Le lieutenant glissa l'ongle sous l'étiquette et releva brusquement la tête.

— Non, ce n'est pas une étiquette, Excellence. Il y a deux lignes écrites à l'envers, à l'encre rouge. Parfait... elle se décolle... On peut la retourner. Ce n'est pas très bien écrit, je n'arrive pas à lire.

Il tendit le minuscule bout de papier au juge qui leva les sourcils puis lut tout haut :

— Je meurs de faim et de soif. Venez me délivrer. Jade. Le douzième jour du neuvième mois. Année du Serpent.

Le juge releva les yeux, l'air contrarié.

— Pourquoi donc avoir collé de telles sottises sur le couvercle de cette boîte ?

— Peut-être n'est-ce pas une plaisanterie, Excellence ! dit Ma Jong avec excitation. Pour s'appeler Jade, ce doit être un beau brin de fille ! Elle a été enlevée, c'est évident !

Le sergent Hong sourit avec bienveillance, connaissant les dispositions de Ma Jong envers la gent féminine.

— Tu es toujours prêt à te porter au secours

des demoiselles en détresse, n'est-ce pas, frère Ma, dit-il gentiment. Mais ce n'est visiblement qu'un morceau de page déchirée dans un roman d'amour, ou une pièce de théâtre.

— Absolument pas ! rétorqua Ma Jong avec humeur. La pauvre fille l'a écrit avec son sang, et l'a mis dans le coffret avant de le jeter par la fenêtre de la pièce où elle était enfermée. Comme le sang n'était pas sec, le petit bout de papier s'est collé au couvercle lorsque le coffret a roulé par terre. Sous prétexte que c'est arrivé il y a près d'un an, je ne vois pas pourquoi on laisserait courir les bandits qui l'ont condamnée à mourir de faim ! Qu'en pensez-vous, Excellence ? ajouta-t-il d'un air inquiet en se tournant vers le juge.

Le juge avait soigneusement lissé le petit papier et l'examinait en tiraillant ses longs favoris.

— Ton raisonnement n'est pas bête, Ma Jong, dit-il en relevant la tête. Pourtant, je suis de l'avis du sergent. S'il s'agissait d'un authentique appel au secours, eh bien... (Il tourna les yeux vers la porte.) Entrez !

Le chef des sbires apparut et salua martialement. Un sourire de satisfaction se dessina sur son visage aux traits grossiers.

— J'ai l'honneur de vous informer que je viens d'arrêter un assassin, Votre Excellence. Un vagabond du nom d'Ah-liou. Il a tué un truand hier soir, après une bagarre dans...

— Je sais, le scribe m'a mis au courant. Bon travail ! Cette affaire sera examinée dès l'audience de ce matin. Y a-t-il des témoins ?

— Des tas, Excellence ! L'aubergiste, deux joueurs et...

— Parfait. Veille à ce qu'ils soient présents à l'audience.

Le juge Ti se leva dès le départ du chef des sbires. Il prit le coffret d'ébène, le contempla pensivement en le soupesant dans la paume de sa main, puis le glissa dans sa manche.

— Nous allons nous occuper un peu plus sérieusement de ce mystérieux message, annonça-t-il à ses deux lieutenants. Il nous reste encore une heure ou deux avant l'ouverture de l'audience. Quel qu'il soit, ce message a gâté l'heureuse atmosphère qui doit être celle d'un anniversaire. Je vais donc retourner chez cet antiquaire choisir un autre cadeau, et lui demanderai quand et comment ce coffret est entré en sa possession. Hong, tu vas aller vérifier dans les dossiers si une femme du nom de Jade a été portée disparue le neuvième mois de l'Année du Serpent. Quant à toi, Ma Jong, tu vas m'accompagner chez l'antiquaire. Ce n'est pas loin, nous irons à pied.

III

Le juge Ti se présente
chez un peintre haut en couleur ;
un tailleur tient à Ma Jong
des propos décousus.

Lorsque le juge Ti et Ma Jong descendirent les larges degrés de l'entrée principale du tribunal, la grande artère conduisant à la porte du Sud était déjà très animée, en dépit de l'heure matinale et du temps chaud et lourd. On distinguait à peine la flèche élancée de la pagode, au milieu du Lac des Lotus, nimbée de la nappe de brume qui recouvrait la ville.

Le juge marchait en tête. Personne ne reconnut en lui le magistrat du district, car il n'avait pas quitté sa simple robe bleue et avait troqué sa haute coiffe officielle pour un petit bonnet noir. Ma Jong, qui le suivait de près, portait l'uniforme des officiers du tribunal : robe brune, ceinture et galons noirs, bonnet plat noir.

Au bout d'un moment, le lieutenant du magistrat s'arrêta brusquement. A quelques pas de lui, deux grands yeux flamboyants le fixaient intensément. Il n'eut que le temps d'entrevoir un beau visage pâle, dissimulé derrière le voile que la femme portait autour de la tête, à la manière tartare. Elle avait l'air étonnamment

31

grande. Au moment même où il s'apprêtait à lui demander ce qu'elle voulait, deux coolies, qui portaient un grand coffre en bois sur les épaules, passèrent entre eux. L'instant d'après, la femme s'était perdue dans la foule.

Le juge Ti se tourna vers son lieutenant et lui désigna le toit escarpé du Temple de Confucius.

— La boutique se trouve au coin de la seconde petite rue derrière le temple, à droite. Qu'est-ce qui t'arrive ? ajouta-t-il devant l'air consterné de Ma Jong.

— J'ai vu une femme extrordinaire, Excellence. Elle avait des yeux démesurément grands et...

— J'espère que tu ne vas pas t'arrêter comme ça devant toutes les femmes que tu croiseras ! répondit le juge avec humeur. Allez, viens, nous n'avons pas beaucoup de temps.

Il y avait nettement moins de monde dans la ruelle latérale, derrière le temple. Une agréable fraîcheur régnait dans la petite boutique, à demi plongée dans la pénombre. Un vieil homme à la longue barbe en bataille se précipita derrière son comptoir à l'entrée du juge.

— Que puis-je encore pour Votre Excellence ? croassa-t-il, en souriant de toutes les dents qui lui manquaient.

— Lorsque je suis venu ce matin, répondit le juge, j'ai oublié que je voulais également un beau bijou en jade. Une paire de bracelets, ou bien une longue épingle à cheveux.

Le marchand sortit un plateau carré de sous le comptoir.

— Votre Excellence trouvera là des pièces de choix.

Après avoir examiné les divers bijoux, le juge choisit une paire de bracelets anciens, en jade blanc, reproduisant à merveille deux petites branches de prunier en fleur. Il les mit de côté et s'enquit de leur prix.

— Une pièce d'argent chacun. A client de choix, prix de choix !

— Je les prends. A propos, vous pourriez peut-être me dire d'où vient mon coffret d'ébène ? J'aime bien connaître la provenance des objets que j'achète, voyez-vous.

Le vieillard repoussa son bonnet en arrière sur ses cheveux gris et se gratta la tête.

— Où est-ce que j'ai bien pu le dénicher ? Permettez que je consulte mon registre, Noble Juge ! Un instant, je vous prie.

— Pourquoi ne lui avez-vous pas fait baisser son prix, Excellence ? maugréa Ma Jong d'un air indigné. Une pièce d'argent ! On s'étonne que ce vieux gredin soit encore vivant !

— Ces bracelets les valent bien. Et je suis sûr qu'ils plairont à ma Première Epouse.

L'antiquaire émergea de l'arrière-boutique et déposa sur le comptoir un grand cahier corné. Désignant de son index une colonne, il grommela :

— Ah, voilà ! J'ai acheté ce coffret à Monsieur Li Ko, il y a quatre mois.

— De qui s'agit-il ? demanda le juge d'un ton cassant.

33

— Eh bien, Monsieur Li Ko est, pour ainsi dire, un peintre mineur. Il est spécialisé dans les paysages. Il en peint toute la journée, bien plus qu'il n'en vend. Qui désire acheter des paysages, je vous le demande un peu, Noble Juge ? Des montagnes que l'on peut voir tous les jours gratuitement en sortant de la ville ! Si encore il s'agissait de tableaux anciens, je ne dis pas, alors là...

— Où habite Monsieur Li ?

— Tout près d'ici, Excellence. Juste à côté de la Tour de la Cloche, une vieille baraque délabrée, Excellence ! Ah ! Ça y est, je me souviens ! Le coffret se trouvait dans un panier plein de cochonneries dont Monsieur Li voulait se débarrasser. Tout était couvert de boue. Si Monsieur Li avait vu ce beau morceau de jade vert sur le couvercle... (Sa bouche édentée s'élargit en un sourire matois.) Je lui ai donné un bon prix pour le lot, Noble Juge, s'empressa-t-il de préciser. Le frère de Monsieur Li a une boutique d'or et d'argent, pas très importante, mais... Je tiens à rester en bons termes avec la famille Li, Excellence. Il se pourrait que j'aie affaire un jour ou l'autre à Monsieur Li Maï.

— Si Li Ko a un frère fortuné, pourquoi est-il dans le dénuement ? s'étonna le juge Ti.

L'antiquaire haussa ses maigres épaules.

— Il paraît qu'ils se sont disputés l'année dernière. Votre Excellence sait bien comment cela se passe de nos jours ; les gens ne considèrent plus que les pères et les fils, les grands frères et les plus jeunes, doivent rester unis pour la vie. Je dis toujours...

— Très bien. Voici l'argent. Non, inutile de les envelopper.

Le juge glissa les bracelets dans sa manche.

— Nous sommes à dix minutes de marche de la Tour de la Cloche, dit-il à Ma Jong une fois dehors. Au point où nous en sommes de nos recherches, autant aller voir ce Monsieur Li Ko.

Ils retraversèrent la grand-rue et contournèrent la Tour de la Cloche. La cloche de bronze, suspendue aux chevrons laqués de rouge, luisait sombrement. On la sonnait tous les matins à l'aube pour réveiller les citoyens. Un porteur d'eau complaisant les conduisit jusqu'à une espèce de baraque en bois, dans une ruelle où vivaient apparemment de petits boutiquiers.

La porte d'entrée, en bois ordinaire, avait été maladroitement réparée en maints endroits. De part et d'autre de la porte ouvraient deux fenêtres aux volets tirés.

— La maison Li n'a pas l'air des plus prospères, remarqua le juge Ti, en frappant au panneau.

— Il aurait mieux fait d'être antiquaire, repartit Ma Jong avec aigreur.

Les deux hommes entendirent un pas lourd, la barre que l'on ôtait, puis la porte s'ouvrit d'un coup.

L'homme débraillé recula brusquement. « Qui… Qu'est-ce… ? » bredouilla-t-il. De toute évidence, il ne s'attendait aucunement à ce genre de visite. Le juge Ti dévisagea calmement l'individu : visage allongé, petite moustache noire, grands yeux vifs. Sa longue robe brune, maculée de peinture, lui battait les flancs ; son bonnet de velours noir était usé jusqu'à la corde.

— Etes-vous bien Monsieur Li Ko, le peintre ? demanda poliment le juge Ti. Je suis le juge Ti, enchaîna-t-il devant l'acquiescement de son interlocuteur, et voici mon assistant, Ma Jong. (Voyant Li Ko blêmir, il eut l'amabilité d'ajouter :) Notre visite n'a rien d'officiel, Monsieur Li ! La peinture de paysage m'intéresse et j'ai entendu dire que vous y excelliez. Ma promenade m'ayant conduit dans le quartier, j'ai décidé de passer vous voir à l'improviste pour jeter un coup d'œil sur votre travail.

— C'est un grand honneur, Excellence ! Un très grand honneur ! répondit précipitamment Li Ko, avant de prendre une mine consternée. Malheureusement, ma maison est dans un désordre indescriptible aujourd'hui. Mon assistant n'est pas rentré de la nuit, et c'est lui qui me fait le ménage. Votre Excellence pourrait peut-être revenir quand...

— Cela ne me dérange aucunement ! interrompit le juge avec bonne humeur en pénétrant dans l'entrée obscure.

Le peintre les introduisit dans une grande pièce au plafond bas, faiblement éclairée par deux grandes fenêtres au papier de soie sale. Après avoir approché de la table à tréteaux une chaise bancale à haut dossier, il offrit à Ma Jong un tabouret en bambou.

Tandis que Li allait préparer le thé sur la tablette murale, le juge jeta un coup d'œil discret vers la table encombrée de rouleaux de papier, de soie et de porte-pinceaux. La peinture avait séché dans les petites écuelles et une fine couche de poussière recouvrait la pierre à encre. Le peintre venait à peine de terminer son petit déjeuner : il restait encore à un bout de la table un bol ébréché contenant du gruau de riz et quelques condiments dans du papier huilé.

Des dizaines de tableaux de paysages, tous en noir et blanc, étaient accrochés au mur de gauche. Certains d'entre eux ne manquaient pas de caractère, songea le juge. Mais lorsqu'il se retourna pour regarder les rouleaux exposés sur le mur opposé, il fronça les sourcils. Tous ces tableaux représentaient des divinités bouddhiques ; non pas les dieux et les déesses du bouddhisme traditionnel, mais les démons féroces à demi nus de la tendance ésotérique plus tardive : des personnages effrayants aux têtes et bras innombrables, aux visages monstrueux, roulant des yeux, la bouche grande ouverte, parés de guirlandes de têtes coupées. Certains serraient dans leurs bras leurs pendants féminins. Tous ces tableaux étaient peints dans des couleurs vives, parmi lesquelles l'or et le vert prédominaient.

— J'apprécie vos paysages, Monsieur Li, remarqua le juge quand son hôte eut déposé deux tasses sur la table. Ils tendent au grand style de nos maîtres anciens.

Le peintre eut l'air enchanté.

— J'adore les paysages, Excellence. Au printemps et à l'automne, je fais de grandes expéditions dans les montagnes qui bordent notre ville, au nord et à l'est. Je ne pense pas qu'il reste un seul pic que je n'aie escaladé ! J'essaye de rendre dans mes tableaux l'essence même de la nature.

Le juge hocha la tête d'un air approbateur, puis il se retourna sur son siège et désigna les peintures religieuses.

— Comment un peintre aussi inspiré que vous peut-il s'abaisser à de telles horreurs ?

Li s'assit sur un banc de bambou près de la fenêtre.

— Ce ne sont pas les paysages qui rempliront mon bol de riz, Excellence ! répondit-il avec un faible sourire. En revanche, il y a une importante demande de rouleaux bouddhiques dans la population tartare et ouigour de cette ville. Comme vous le savez, ces gens accordent foi à cette croyance répugnante (1) qui affirme que le rapport sexuel entre un homme et une femme est la répétition de l'accouplement de la Terre et du Ciel, et un moyen d'obtenir le salut. Les adeptes s'identifient à ces dieux féroces ou à leurs pendants féminins. Leurs rites exigent que...

Le juge Ti leva la main.

— Je suis parfaitement au courant de tous ces abominables excès commis sous le couvert de la religion. Ils conduisent à la luxure et aux crimes les plus vils. Lorsque j'étais magistrat à Han-yuang, j'ai été confronté à plusieurs meurtres atroces perpétrés dans un monastère taoïste où

(1) Il s'agit de la tendance ésotérique du bouddhisme connu sous le nom de tantrisme qui, contrairement au bouddhisme orthodoxe, en général toléré, fut combattu par les autorités. (*N.d.T.*)

ces rites étaient pratiqués en secret (1). Que les bouddhistes aient emprunté ce rite aux taoïstes ou le contraire, cela je l'ignore et n'en ai cure. (Le juge se tirailla nerveusement la barbe, puis jeta un regard pénétrant au peintre.) Vous n'insinuez tout de même pas que ces rites monstrueux se pratiquent encore dans ce district ?

— Oh non ! Excellence, plus maintenant. Mais il y a huit ou dix ans, le Temple des Nuages pourpres, situé sur la colline, à l'est de la ville, appartenait à cette secte et de nombreux Tartares et autres Barbares bouddhistes passaient la frontière pour venir y rendre leur culte. Puis les autorités sont intervenues et les moines comme les nonnes furent contraints de déguerpir. Toutefois, les bouddhistes de Fan-lang ont toujours foi en cette croyance. Ils achètent ces tableaux pour les accrocher au-dessus de l'autel domestique. Ils sont fermement convaincus que ces dieux féroces les protègent du mal et leur assurent longévité et descendance.

— Superstitions grotesques ! repartit le juge d'un ton dédaigneux. Les enseignements originaux du Bouddha ne manquent pas d'intérêt, mais, en tant que confucianiste orthodoxe, comme vous l'êtes sans doute vous-même, Monsieur Li, je réprouve l'idolâtrie bouddhique sous toutes ses formes. J'aimerais vous commander un paysage ; je désire depuis longtemps suspendre dans ma bibliothèque un tableau de cette région frontalière, soulignant le contraste entre

(1) Voir *le Monastère hanté*, coll. 10/18 n° 1633.

les montagnes et la vaste plaine ; je serais enchanté de vous confier ce travail. Je ne manquerai pas de vous recommander auprès de mes relations, à condition, toutefois, que vous cessiez de peindre ces infâmes tableaux bouddhiques !

— Je vous obéis avec joie, Excellence !

— Parfait !

Le juge Ti sortit le coffret d'ébène de sa manche et le posa sur la table.

— Ce coffret vous a-t-il appartenu ? demanda-t-il.

Le juge ne quitta pas le peintre des yeux, mais son expression ne refléta que l'étonnement le plus innocent.

— Non, je ne l'ai jamais vu, Excellence. On en trouve des douzaines dans le genre, au marché. Les ébénistes du coin les fabriquent en série avec des chutes d'ébène et les gens les achètent pour y serrer leurs sceaux ou leurs cartes de visite. Mais je n'avais jamais vu une pièce aussi ancienne. Et quand bien même l'aurais-je vue, je n'aurais jamais pu l'acheter !

Le juge Ti fit disparaître le coffret dans sa manche.

— Votre frère ne vous achète-t-il jamais de tableaux ? demanda-t-il d'un air détaché.

— Mon frère est un homme d'affaires, répondit froidement Li en se redressant. Il ne s'intéresse pas le moins du monde à l'art et méprise les artistes.

— Vous vivez seul ici avec votre assistant ?

— Oui, Excellence. Je ne supporte pas d'avoir des domestiques à demeure. Yang, mon assistant, est très efficace. C'est un candidat aux examens littéraires qui n'a pas pu passer son épreuve finale par manque d'argent. Il tient ma maison et m'aide à préparer mes couleurs, entre autres. Dommage que vous ne puissiez faire sa connaissance. (Voyant que le juge se levait, il ajouta précipitamment :) Vous reprendrez bien une autre tasse de thé, Excellence ? Je n'ai pas tous les jours la chance de converser avec un lettré aussi célèbre et...

— Je suis navré, Monsieur Li, mais je dois rentrer au tribunal. Merci pour le thé, et n'oubliez pas mon paysage !

Li reconduisit respectueusement ses hôtes jusqu'à la porte.

— Ce filou de peintre est un sacré menteur, Excellence ! s'exclama Ma Jong dès qu'ils se retrouvèrent dans la rue. Le vieil antiquaire était sûr de lui avoir acheté le coffret, et il n'est pas du genre à se tromper dans son travail. Pas lui !

— Au début, remarqua le juge Ti, Li m'a fait plutôt bonne impression. Mais ensuite, je ne savais plus très bien que penser... Je retourne au tribunal ; pendant ce temps, tu pourrais peut-être essayer de glaner quelques renseignements sur Li dans les boutiques des environs. Renseigne-toi également sur son assistant. Rien que pour avoir un tableau général, si je puis dire.

Ma Jong acquiesça. Dans l'étroite ruelle, seule une grande enseigne indiquait en gros caractères la présence d'un tailleur. Le boutiquier était occupé à dérouler une pièce de soie. Dans l'arrière-boutique, quatre femmes cousaient et brodaient autour d'une longue table étroite. Après avoir accueilli Ma Jong de façon plutôt courtoise, le tailleur changea de ton dès qu'il lui demanda s'il connaissait le peintre.

— C'est un crève-la-faim, dit-il d'un air dégoûté. Je le vois passer de temps en temps ; mais il n'a jamais acheté l'ombre d'un vêtement ! Et son espèce d'assistant n'est qu'un clochard. Il n'a pas d'horaires et fréquente toutes sortes de voyous. Il a réveillé plus d'une fois tout le voisinage par ses vociférations en rentrant ivre mort.

— Les hommes de lettres de cet âge ne répugnent pas à passer de temps à autre une joyeuse nuit, remarqua Ma Jong d'un ton apaisant.

— Homme de lettres, allons donc ! Yang n'est qu'un vagabond ! Pourtant, il est toujours aussi coquet. Pour mon malheur, il m'a acheté une robe neuve, et ne m'a pas donné une sapèque ! J'aurais dû lui faire une scène, mais... (Le boutiquier se pencha par-dessus son comptoir et observa la rue.) Autant être prudent ; je ne voudrais pas le voir revenir avec sa bande de voyous pour déverser des ordures sur mes belles pièces de soie...

— Si Yang est effectivement un bon à rien, pourquoi Monsieur Li le garde-t-il à son service ?

— Parce que Monsieur Li ne vaut guère mieux que lui ! Ils sont du même acabit, Monsieur ! Et pourquoi Monsieur Li ne s'est-il pas marié, hein ? Il est pauvre, c'est vrai, mais aussi pauvre soit-il, un homme peut toujours trouver une fille encore plus pauvre que lui pour fonder un foyer, comme c'est le devoir de tout individu qui se respecte. Ces deux zèbres vivent tout seuls dans ce capharnaüm, Monsieur ; ils n'ont même pas de femme de ménage. Qui sait ce qu'il s'y passe la nuit !

Le tailleur attendait visiblement que Ma Jong lui réclamât des détails ; devant son mutisme, il poursuivit sur le ton de la confidence :

— Je ne suis pas du genre à colporter des ragots, figurez-vous. Vivre et laisser vivre, telle est ma devise. Seulement, écoutez bien ce que je vais vous dire : il y a quelque temps, mon voisin a vu une femme entrer chez Li, vers minuit, paraît-il. Et quand j'ai raconté ça à l'épicier, il s'est rappelé lui aussi avoir vu une femme sortir à l'aube, s'il vous plaît ! De tels agissements nuisent à la réputation d'un quartier, Monsieur. Et cela porte préjudice à mon commerce.

Ma Jong remarqua que cela n'avait effectivement rien de drôle. Après avoir appris que le candidat aux examens littéraires s'appelait Yang Mou-té, il prit congé du tailleur et se dirigea vers le tribunal en maudissant la chaleur.

IV

*Le message de Jade
conserve tout son mystère ;
un voyou expose sa conception
de l'amitié.*

Quand Ma Jong pénétra dans le cabinet de travail du juge Ti, le sergent Hong aidait son maître à revêtir sa lourde robe officielle de brocart vert, au col rehaussé de broderies d'or. Tandis que le juge ajustait sa coiffe noire aux ailes empesées devant son miroir, son lieutenant lui relata sa conversation avec le tailleur.

— Je ne sais que penser de tout cela, avoua le juge. Hong a passé en revue la liste des personnes disparues, sans le moindre résultat. Dis à Ma Jong ce que tu as découvert, Hong !

— Le quatrième jour du neuvième mois, commença le sergent Hong, deux personnes ont été portées disparues. Un vendeur de chevaux tartare déclara la disparition soudaine de sa fille ; mais cette dernière réapparut le mois suivant, avec un mari originaire de l'autre côté de la frontière et un nouveau-né. Ensuite, le frère d'un serrurier-ferronnier du nom de Ming Ao déclara que celui-ci était sorti de chez lui le sixième jour du neuvième mois et n'était plus jamais revenu. Pour plus de sécurité, j'ai passé en revue toute l'Année du Serpent, mais il n'est nulle part fait mention d'une jeune fille s'appelant Jade.

Le grand gong de bronze dressé à l'entrée du tribunal résonna bruyamment. Les trois coups annonçant l'ouverture de l'audience retentirent.

Le sergent Hong ouvrit le rideau qui séparait le cabinet du juge Ti de la salle de tribunal qui lui était contiguë, un rideau violet broché à l'emblème de la licorne, symbole traditionnel de la perspicacité. Le juge gravit l'estrade et prit place derrière la haute table recouverte d'un tissu rouge dont le pan frontal pendait jusqu'à terre. Une petite pile de documents officiels y était déposée ainsi qu'un gros paquet rectangulaire enveloppé dans un papier huilé. Après avoir jeté un coup d'œil étonné sur le paquet, le juge croisa les bras dans ses vastes manches et scruta la salle.

Il régnait une agréable fraîcheur dans la grande pièce au plafond haut, où s'étaient réunis une petite douzaine de badauds, groupés vers le fond. Visiblement, ils étaient plutôt là pour échapper à la chaleur torride du dehors que pour assister au procès d'un meurtre intéressant. Huit sbires se tenaient au garde-à-vous, alignés en deux rangs de quatre devant l'estrade, tandis que leur chef avait pris position légèrement en avant d'eux, le fouet à la main. Deux paires de menottes pendaient à sa large ceinture de cuir. Le juge distingua derrière lui quatre ouvriers, en vestes bleues impeccables ; ils avaient l'air mal à l'aise. A gauche de l'estrade, deux scribes étaient assis à une table

46

basse, prêts à noter toutes les délibérations de la cour.

Quand le sergent Hong et Ma Jong eurent pris place derrière le fauteuil du juge, ce dernier saisit son martelet, morceau de bois dur oblong, et en frappa un coup sur la table.

— Je déclare l'audience du tribunal de Lan-fang ouverte ! annonça-t-il.

Puis il demanda à voir le dossier et ordonna au chef des sbires de faire entrer l'accusé.

Sur un signe de leur supérieur, deux sbires se dirigèrent vers la porte qui ouvrait sur la gauche et traînèrent devant l'estrade une espèce de grand escogriffe, en veste brune toute rapiécée et pantalon large. Le juge examina ce visage long, bronzé, orné d'une pauvre moustache et d'une barbichette ; ses cheveux longs et ébouriffés lui pendaient sur le front en mèches sales. Les sbires le forcèrent à s'agenouiller sur les dalles de pierre, face à l'estrade, tandis que le chef des sbires se plaçait à ses côtés sans cesser de balancer son fouet.

Le juge Ti consulta le premier document de la pile, puis releva la tête.

— Etes-vous Ah-liou, âge trente-deux ans, sans domicile ni profession fixes ?

— Oui, c'est moi, gémit l'accusé. Mais il faut que je vous dise tout de suite que...

Le chef des sbires laissa retomber lourdement le manche de son fouet sur les épaules du prisonnier.

— Contente-toi de répondre aux questions de Son Excellence ! aboya le chef des sbires.

— Exposez à la cour le cas du prisonnier, chef des sbires !

Ce dernier se mit au garde-à-vous, s'éclaircit la gorge d'un air important et commença son rapport :

— Hier soir, cet individu a dîné dans la taverne de Chow, à côté de la porte de l'Est, en compagnie d'un truand notoire du quartier. Après avoir vidé quatre pichets de vin, ils se sont disputés au moment de payer l'addition. Chow, l'aubergiste, est intervenu pour les mettre d'accord. Ensuite, Ah-liou et Seng-san se sont mis à jouer aux dés. Après que ce dernier eut abondamment perdu à plusieurs reprises, il a bondi sur ses pieds et accusé Ah-liou d'avoir triché. Ils en vinrent aux mains, et Ah-liou essaya d'assommer Seng-san avec le pichet. L'aubergiste demanda à ses autres clients de l'aider à les séparer. Ils réussirent à leur faire vider les lieux. Seng-san aurait dit à Ah-liou qu'ils régleraient leurs comptes au temple abandonné. Il s'agit du Temple bouddhique des Nuages pourpres, Votre Honneur, situé sur la colline au-delà de la porte de l'Est. Cela fait plus de dix ans qu'il est abandonné, et toutes sortes de canailles y passent la nuit.

— L'accusé et Seng-san s'y sont-ils effectivement rendus ? demanda le magistrat.

— Précisément, Votre Honneur. Les gardes en faction à la porte de l'Est ont affirmé les avoir vus passer une heure après minuit, s'injuriant violemment tout au long du chemin. Les soldats leur rappelèrent qu'ils n'allaient pas tarder à fermer la porte pour la nuit, et Ah-liou leur répondit que de toute façon il ne reviendrait jamais.

Ah-liou redressa la tête pour dire quelque chose, mais comme le chef des sbires levait son fouet, il la baissa aussitôt.

— Ce matin, juste après l'aube, Meng, le chasseur, s'est présenté au tribunal pour nous dire qu'il avait découvert un cadavre devant l'autel du temple où il était entré pour faire un somme. Je m'y suis aussitôt rendu avec deux de mes hommes. La tête avait été tranchée et gisait auprès du corps dans une mare de sang. J'ai identifié la victime comme étant Seng-san. L'arme du crime, une double hache d'origine tartare était encore là. J'ai ordonné une fouille des environs et découvert l'accusé profondément endormi sous un arbre, à la lisière du jardin du temple. Sa veste était tachée de sang. Comme je craignais qu'il ne s'échappât, pendant que je serais parti chercher un mandat d'arrêt, je l'ai arrêté sur-le-champ pour vagabondage. Quand il m'eut dit que le dernier endroit où il avait été en ville était la taverne de Chow, je m'y suis rendu aussitôt et l'aubergiste m'a raconté la bagarre. Monsieur Chow s'est présenté à l'audience pour en témoigner, ainsi que deux clients témoins de la rixe et Meng le chasseur.

Le juge Ti hocha la tête, puis se tourna vers Ma Jong auquel il demanda à voix basse :

— N'est-il pas curieux qu'une querelle entre voyous se règle à la hache ?

— Tout à fait étrange, Excellence, répondit

Ma Jong. On s'attendrait plutôt à un coup de couteau ou un coup de gourdin derrière la tête.

— Voyons l'arme du crime !

Ma Jong défit le papier huilé, et une double hache au manche courbe de trois pieds de long apparut. Les bords acérés étaient couverts de sang séché. L'extrémité du manche représentait une tête de démon grimaçant, sculptée dans le bronze.

— Comment le meurtrier s'est-il procuré cette arme barbare, chef des sbires ?

— Il l'a trouvée sur place, Votre Honneur. Le temple est vide, à part le vieil autel, contre le mur du fond. Mais dans une niche du mur latéral, il y a deux hallebardes et deux haches. Quand le temple était encore occupé, ces armes servaient pour les danses rituelles. Les religieux les ont laissées en partant. Personne n'a osé les voler, car ce sont des objets sacrés qui portent malheur.

— Seng-san a-t-il des parents ici, chef des sbires ?

— Non, Excellence. Il a bien un frère, Lao-wou, mais il est parti habiter dans le district de Tong-kang, il y a un certain temps.

Le sergent Hong se pencha vers le juge Ti.

— J'ai lu dans les rapports d'audiences présidées par le prédécesseur de Votre Excellence qu'il a récemment condamné Lao-wou à six mois de prison, ainsi que la femme avec laquelle il vivait. Le motif en était le vol d'un cochon.

— Très bien... Ah-liou, dis à la cour ce qui s'est vraiment passé cette nuit !

— Rien, Noble Juge, rien du tout. Je vous le

50

jure ! Seng-san est mon meilleur ami, pourquoi voudrais-je...

— Tu t'es violemment disputé avec lui et tu as essayé de lui défoncer le crâne, coupa le juge. Vas-tu nier cela aussi ?

— Mais non, Excellence ! Seng-san et moi, on passe notre temps à se disputer, comme ça on ne le voit pas passer. Seng-san a dit que je trichais, et c'était vrai. Je triche toujours, et Seng-san essaye toujours de me coincer. Ça fait partie du plaisir ! Croyez-moi, Noble Juge, je ne l'ai pas tué. Je vous le jure ! Je n'ai jamais fait de mal à une mouche, je n'aurais jamais pu...

Le juge Ti frappa un coup de martelet sur la table.

— Raconte ce qui s'est passé quand vous avez quitté la taverne.

— On est partis ensemble vers la porte de l'Est, Noble Juge, en nous injuriant mutuellement en toute amitié. Une fois passé la porte, on a marché bras dessus, bras dessous en chantant. Seng-san m'a aidé à monter les marches parce que j'étais très fatigué. J'avais passé la journée à transporter du bois pour ce grippe-sou de... Enfin, quand on est arrivés dans la cour du temple, Seng-san a dit : « Je vais aller dormir sur l'autel ! » Moi, j'avais tellement sommeil que je me suis allongé tout bonnement sous un arbre. Je ne me suis réveillé que ce matin, pour m'apercevoir que ce fils de... (Il se reprit en voyant le chef des sbires relever son fouet et conclut d'un air mauvais :) Pour m'apercevoir que cet officier du tribunal était en train de me labourer les côtes en me traitant d'assassin !

— N'y avait-il personne d'autre dans le temple abandonné ?

— Pas âme qui vive, Noble Juge !

— Le contrôleur des décès a-t-il examiné le corps, chef des sbires ?

— Oui, Votre Excellence. Voici son rapport.

Le chef des sbires sortit de sa manche une feuille de papier pliée qu'il déposa respectueusement des deux mains sur la table. Le juge Ti parcourut le document, tandis que Ma Jong et le sergent lisaient par-dessus son épaule.

— C'est bizarre qu'il se soit donné la peine de lui couper la tête ! grommela Ma Jong. Lui trancher la gorge aurait été largement suffisant.

Le juge Ti se retourna vers son lieutenant.

— Le contrôleur des décès, lui dit-il à voix basse, affirme que le corps ne présente ni blessure ni trace de violence. Dans la mesure où Seng-san était un fieffé truand, cela me semble vraiment très curieux. (Le juge réfléchit quelques instants en lissant sa longue barbe noire, puis il s'adressa de nouveau à ses lieutenants :) Notre contrôleur des décès est pharmacien de formation. Il est très brave, mais a peu d'expérience en médecine légale. Je pense que nous ferions mieux d'aller examiner nous-mêmes le corps avant de poursuivre l'interrogatoire.

Le juge Ti frappa un coup de son martelet.

— Renvoie l'accusé dans sa cellule, ordonnat-il au chef des sbires. L'audience est suspendue jusqu'à nouvel ordre.

Le juge se leva et disparut derrière l'épais rideau à la licorne, suivi du sergent Hong et de Ma Jong.

V

*Le juge Ti multiplie les victimes ;
il fait montre de son talent
de calligraphe.*

Les trois hommes traversèrent d'un bout à l'autre le yamen pour se rendre à la prison, à côté de laquelle une petite pièce servait de morgue.

Il y régnait une odeur de renfermé. Sur une table, dressée sur de hauts tréteaux, au milieu de la pièce carrée, gisait un corps recouvert d'une natte ; par terre, à côté, il y avait un grand panier rond.

— Voyons d'abord la tête, dit le juge à Ma Jong en désignant le panier.

Le lieutenant posa le panier sur la table et ouvrit le couvercle en faisant une grimace.

— Sale affaire, Excellence.

Après avoir remonté son foulard sur le nez et la bouche, il sortit du panier la tête ensanglantée en la tenant par les cheveux. Puis il la redressa pour que le visage soit bien visible.

Le juge contempla en silence ce spectacle macabre, les mains derrière le dos. Le visage de Seng-san était boursouflé, défiguré par une vilaine cicatrice sous la joue gauche. Ses yeux, enfoncés dans leurs orbites et rouges de sang, étaient en partie recouverts par des mèches de cheveux collées sur son front bas et ridé. Une pauvre moustache retombait sur une bouche épaisse aux lèvres retroussées en un affreux rictus qui découvrait des dents gâtées. La base du cou n'était plus qu'une masse informe de chair et de sang coagulé.

— Il n'a pas très bonne mine, remarqua le juge Ti. Retire donc cette natte, Hong !

Le corps nu et décapité était bien proportionné, les hanches fines et les épaules larges. Les bras étaient longs et particulièrement musclés.

— Grand gaillard, joliment costaud, commenta Ma Jong. Pas du genre à tendre gentiment la tête pour qu'on la lui coupe. (Se penchant sur le corps, il examina la base du cou.) Tiens, tiens ! Il y a une trace bleuâtre et des éraflures. Seng-san a été étranglé, Excellence ; avec une fine cordelette et probablement par-derrière.

Le juge Ti hocha la tête.

— Tu dois avoir raison, Ma Jong, cette ecchymose en est la preuve. On aurait pu s'attendre à ce que la tête ait un autre aspect, mais ceci s'explique sans doute par le fait qu'elle a été coupée ensuite. Bon alors, quand ce crime atroce a-t-il été commis ? (Le juge palpa les bras et les jambes puis plia le coude droit du cadavre.) A en juger par l'état du corps, la mort a dû survenir aux alentours de minuit. Voilà au moins un élément qui concorde avec les déclarations du chef des sbires.

Le juge allait relâcher le bras du mort quand il se ravisa brusquement. Il ouvrit le poing serré et examina attentivement la paume, puis les doigts. Après avoir laissé retomber le bras, il alla regarder les pieds du cadavre, à l'autre bout de la table.

— Ce ballot taché de sang, là-bas dans le coin, contient les vêtements du mort, n'est-ce pas ? demanda-t-il au sergent Hong en se redressant. Pose-le sur la table et ouvre-le !

Le juge sortit du tas de vêtements un pantalon rapiécé qu'il plaça sur les jambes du cadavre.

— C'est bien ce que je pensais ! maugréa-t-il.

Il regarda ses deux assistants d'un air sombre.

— Je me suis trompé, mes amis, en vous disant ce matin qu'il ne s'agissait que d'un banal règlement de comptes. Pour commencer, il s'agit d'un double crime.

Les deux hommes le regardaient sans comprendre.

— Un double crime ? s'exclama le sergent Hong. Qu'est-ce que cela signifie ?

— Cela signifie que ce sont deux personnes et non pas une qui ont été assassinées. Les têtes ont été coupées pour que les corps puissent être intervertis. Ne voyez-vous pas que ce corps n'est pas celui de Seng-san ? Regardez la différence entre ce visage tanné et cette peau blanche et douce des mains et des avant-bras ; voyez ces mains soignées et ces pieds dépourvus de toute callosité. Par ailleurs, ce corps est celui d'un homme plutôt grand, or le pantalon de Seng-san est trop long pour lui. Notre chef des sbires a encore beaucoup à apprendre !

— Je vais appeler immédiatement ce bougre d'imbécile ! grommela Ma Jong. On va lui passer un sérieux...

— Non, tu vas t'en garder ! s'empressa de répondre le juge. Le meurtrier doit avoir une excellente raison pour faire croire que seul Seng-san a été tué, et qu'il s'agit bien de son cadavre. Nous n'allons pas le contredire. Tenons-nous-en là pour le moment.

— Alors, où se trouvent le corps de Seng-san et la tête de ce cadavre anonyme ? demanda Ma Jong perplexe.

— Ça, j'aimerais bien le savoir, répliqua sèchement le juge. Grands dieux, un double meurtre, et nous n'avons pas le moindre indice sur le mobile de ce crime monstrueux ! (Il contempla le visage déformé de Seng-san en se tiraillant la moustache. Puis il se retourna et déclara vivement :) On va aller à la prison discuter un peu avec Ah-liou.

Il faisait si sombre dans la cellule qu'ils eurent le plus grand mal à distinguer la silhouette du prisonnier assis dans un coin, de l'autre côté des barreaux. Dès qu'il vit entrer les trois hommes, il se précipita vers l'angle le plus éloigné dans un grand fracas de chaînes.

— Ne me frappez pas ! brailla-t-il comme un forcené. Je vous jure que...

— Silence ! hurla le juge avant de poursuivre sur un ton nettement plus amène : Je suis simplement venu parler avec toi de ton ami Seng-san. Si ce n'est pas toi qui l'as tué, là-bas, dans le temple abandonné, alors qui est-ce ? Et d'où vient ce sang sur ta veste ?

Ah-liou rampa vers la porte. Enserrant ses genoux entre ses poignets entravés par les menottes, il répondit d'une voix pitoyable :

— Je n'en sais rien, Noble Juge ! Et comment pourrais-je le savoir ? Seng-san a un certain nombre d'ennemis, c'est sûr ; mais qui n'en a pas, avec la concurrence qui existe de nos jours ? Mais personne n'aurait pris le risque de le tuer, non, personne, Excellence. Quant au sang, je me demande bien comment il est arrivé sur mes vêtements. Je n'en avais pas en partant de la taverne, ça j'en suis sûr. (Ah-liou hocha la tête puis reprit :) Seng-san était un dur, il savait se servir de ses poings. Il savait également manier le couteau. Grands dieux ! Et si c'était...

Ah-liou se tut aussitôt.

— Allez parle, vaurien ! Si c'était qui ?

— Eh bien... je pensais que ç'aurait pu être le fantôme, Excellence. Le fantôme du temple, c'est comme ça qu'on l'appelle ; une femme vêtue d'un long suaire, Excellence. Elle se promène dans le jardin du temple les nuits de pleine lune. C'est une redoutable goule qui coupe les têtes avec ses dents ; on n'y va jamais au moment de...

— Arrête de dire n'importe quoi ! s'exclama le juge avec impatience. Seng-san s'est-il disputé récemment avec quelqu'un ? Une dispute sérieuse, j'entends, pas une querelle d'ivrogne.

— Eh bien, il a eu une grosse engueulade avec son frère, il y a une quinzaine de jours. Il s'appelle Lao-wou, son frère. Il n'est pas aussi grand que Seng-san, mais c'est quand même un gros salopard. Il a pris la petite amie de Seng-

san, et Seng-san a juré de le tuer. Alors Lao-
wou est parti à Tong-kang, avec la demoiselle.
Mais on ne va tout de même pas tuer un homme
pour une histoire de femme, n'est-ce pas, Excellence ? Pour de l'argent, j' dis pas...

— Est-ce que Seng-san avait un ami, ou une
relation, quelqu'un de plutôt grand et mince ?
Une espèce de dandy, ou le genre employé de
bureau, enfin, tu vois ?

Ah-liou, les sourcils froncés, fit un gros effort
de réflexion.

— Oui... oui... je l'ai vu une ou deux fois en
compagnie d'un grand gaillard en robe bleue
impeccable, et un vrai bonnet sur la tête. J'ai
demandé à Seng-san qui c'était et de quoi ils
parlaient avec autant d'intérêt, mais il m'a
répondu de la fermer et de m'occuper de mes
oignons ; ce que j'ai fait.

— Reconnaîtrais-tu cet homme ?

— Non, Excellence. Je l'ai vu à la tombée de
la nuit, dans la première cour du temple. Je crois
qu'il n'avait pas de barbe, seulement une moustache.

— Très bien, Ah-liou. J'espère pour toi que
tu nous as dit tout ce que tu savais !

Tandis qu'ils regagnaient le cabinet du juge
Ti, le magistrat confia à ses lieutenants :

— Les aveux d'Ah-liou sonnent juste. Mais
quelqu'un a voulu lui faire porter le bonnet. Il
est plus en sécurité en prison pour le moment.
Dites au chef des sbires que l'audience est
reportée à demain. Sergent Hong, il faut que
j'aille me changer à présent, car j'ai promis à
mes épouses de partager avec elles le riz de midi

58

en ce jour de fête. Ensuite, Hong, tu m'accompagneras, ainsi que le chef des sbires, au temple abandonné pour avoir un aperçu du décor de ce double crime. Quant à toi, Ma Jong, j'aimerais que tu ailles faire un tour cet après-midi dans le quartier nord-ouest, où résident les Tartares, Ouigours et autres Barbares. Le meurtrier s'étant servi d'une hache tartare, il est soit tartare lui-même, soit citoyen chinois en étroite relation avec ces étrangers. Il faut vraiment savoir se servir de ces haches aux manches recourbés pour les utiliser avec autant d'efficacité que l'assassin. Va rôder dans les gargotes populaires, là où traîne la canaille, et renseigne-toi discrètement !

— Je peux faire mieux, Excellence ! s'exclama joyeusement Ma Jong. Je vais aller voir Talbi !

Le sergent Hong jeta au juge Ti un regard lourd de sous-entendus, mais se garda bien de tout commentaire. Talbi était une prostituée ouigour dont Ma Jong était violemment tombé amoureux six mois plus tôt (1). L'aventure avait été passagère, car il n'avait pas tardé à se lasser de ses charmes quelque peu envahissants. Elle avait une passion immodérée pour le thé au beurre rance et un dégoût encore plus immodéré pour l'hygiène corporelle. Le jour où Ma Jong découvrit qu'en outre elle avait déjà un amant en titre, un chamelier mongol dont elle avait deux enfants de quatre et sept ans, il mit fort élégamment un terme à leurs relations ; il consa-

(1) Voir *le Mystère du labyrinthe*, coll. 10/18, n° 1673.

cra ses économies à la racheter et lui offrit une petite gargote en plein air. Le chamelier l'épousa et Ma Jong servit de garçon d'honneur lors de la noce qui, arrosée d'un redoutable alcool mongol, dura jusqu'à l'aube et lui valut la plus mémorable gueule de bois de sa vie.

Après un court silence, le juge Ti remarqua avec circonspection :

— En règle générale, ces gens sont très réticents à parler de ce qui ne concerne qu'eux. Mais comme tu connais bien la fille, elle se confiera peut-être plus facilement à toi. Quoi qu'il en soit, il faut tenter le coup. Viens me voir dès ton retour.

Le sergent Hong et Ma Jong mangèrent ensemble leur riz de midi au corps de garde. Ma Jong avait demandé à un soldat d'aller leur chercher un pichet de vin à la taverne la plus proche.

— Je ne sais quel tord-boyaux elle va encore me servir ! grimaça-t-il en reposant sa coupe. C'est pourquoi je dois commencer par me protéger l'estomac, tu comprends ! Bon, maintenant je vais enfiler de vieux habits pour ne pas éveiller les soupçons. Bonne chance pour le temple !

Après le départ de Ma Jong, le sergent Hong finit son thé et se dirigea vers les appartements privés du juge, à l'arrière du yamen. Le vieil intendant l'informa qu'après le riz de midi le juge était allé au jardin avec ses trois épouses. Le sergent opina du bonnet et s'éloigna. Il était le seul membre du personnel du tribunal à avoir le droit de pénétrer dans les appartements des épouses du magistrat, privilège dont il était très fier.

Il faisait délicieux dans ce jardin, intelligemment conçu par le prédécesseur du juge Ti, très versé dans cet art. De grands chênes et des acacias inclinaient leurs branches sur un sentier sinueux pavé de pierres noires et lisses, aux formes irrégulières. A chaque tournant, on pouvait entendre le murmure d'un ruisseau qui serpentait sous les taillis, égayés, çà et là, par des massifs de buissons fleuris aux couleurs soigneusement assorties.

Le dernier tournant conduisit le sergent à une petite clairière, bordée de rochers moussus. Assis sur un banc de pierre rustique sous de hauts bambous bruissants, la Seconde et la Troisième Epouse du juge contemplaient l'étang de lotus en contrebas du jardin, au-delà duquel s'élevait le mur d'enceinte dissimulé derrière un rideau de sapins judicieusement disposés. Au centre de l'étang se dressait un petit pavillon au toit pointu dont les poutres gracieusement incurvées vers le ciel étaient soutenues par six légères colonnes de laque rouge. Le juge Ti et sa Première Epouse s'y trouvaient, penchés sur la table, près de la balustrade.

— Le juge va écrire quelque chose, dit la Seconde Epouse au sergent Hong. Nous nous sommes retirées pour ne pas le déranger.

Elle avait un visage agréable, les cheveux resserrés en une simple queue de cheval à la base de la nuque, et portait une veste de soie violette par-dessus une robe blanche. C'est elle qui était chargée des comptes de la maison. La Troisième Epouse quant à elle, jeune femme mince en robe de soie bleue à manches longues retenue sous la poitrine par une ceinture rouge cerise, avait coiffé ses cheveux en un haut chignon élaboré qui mettait en valeur ses traits expressifs et finement dessinés. Elle se consacrait essentiellement à la peinture et à la calligraphie, mais prenait également un vif plaisir aux activités de plein air, comme l'équitation. Elle avait la responsabilité de l'éducation des enfants du juge Ti. Le sergent Hong fit aux deux femmes un signe de tête amical et descendit les degrés de pierre qui menaient à l'étang.

Il traversa le pont de marbre voûté qui franchissait l'étendue d'eau. Le pavillon avait été bâti au point le plus élevé de l'arche. Le juge Ti se tenait devant la table, un grand pinceau à la main. Il contemplait d'un air méditatif la feuille de papier rouge. Sa Première Epouse était occupée à lui préparer l'encre, sur une petite table. Elle avait un visage à l'ovale régulier et les cheveux coiffés en trois lourdes queues retenues par un fin ruban doré. Sa robe de soie bleue et blanche brodée et parfaitement ajustée laissait deviner sa charmante silhouette qui tendait quelque peu à l'embonpoint en ce jour de son trente-neuvième anniversaire. Le juge l'avait épousée alors qu'elle avait dix-neuf ans, et lui vingt. Elle était la fille aînée d'un haut fonctionnaire, le meilleur ami de son père. Femme d'une excellente éducation traditionnelle et dotée d'une forte personnalité, elle dirigeait toute la maison avec autorité. Après avoir frotté en suffisance le pain d'encre sur la pierre, elle avisa son époux qu'il pouvait commencer. Le juge Ti humecta le pinceau, remonta sa manche droite puis traça le caractère signifiant « longue vie », de près de quatre pieds de haut, d'un magistral coup de poignet.

Le sergent Hong, qui avait attendu sur le pont la fin de l'opération, pénétra dans le pavillon.

— Magnifique calligraphie, Excellence ! s'exclama-t-il.

— Je tenais à ce que ce caractère de bon augure fût tracé de la main du maître, Hong ! dit la Première Epouse avec un sourire de satisfaction. Nous l'accrocherons ce soir sur le mur de la salle à manger !

La Seconde et la Troisième Epouse se précipitèrent à leur tour vers l'étang pour admirer la calligraphie et applaudirent chaleureusement.

— Eh bien, remarqua le juge, la réussite était assurée, puisque ma Première Epouse m'a préparé l'encre et vous deux le papier rouge et le pinceau ! Il faut que je parte à présent, car je dois aller faire un tour au temple abandonné. Des vagabonds s'y sont battus la nuit dernière. Si j'ai le temps, je passerai à l'Ermitage prévenir l'Abbesse que j'ai l'intention d'établir un poste de garde permanent sur la colline.

— Oh oui, faites-le ! répondit la Seconde Epouse avec ferveur. L'Abbesse est toute seule dans l'Ermitage avec une seule et unique servante.

— Vous devriez persuader l'Abbesse de venir s'installer en ville, remarqua la Première

Epouse. Il y a deux ou trois sanctuaires vides où elle pourrait emménager. Cela lui éviterait un si long trajet les jours où elle vient nous enseigner l'art floral.

— Je ferai mon possible, promit le juge, car ses épouses aimaient bien l'Abbesse qui faisait partie des rares amies qu'elles avaient à Lan-fang. Je rentrerai peut-être tard, ajouta-t-il, mais, de toute façon, vous allez être occupées tout l'après-midi à recevoir les épouses des notables venues vous féliciter. J'essayerai de rentrer le plus tôt possible.

Les trois épouses raccompagnèrent le magistrat jusqu'à l'entrée du jardin.

VI

*Le juge Ti visite
le Temple des Nuages pourpres ;
une servante lui parle avec émotion
de ses canards.*

Le grand palanquin officiel du juge Ti attendait dans l'avant-cour, huit robustes porteurs à
ses côtés. Le chef des sbires attendait lui aussi
dans la cour, en compagnie de ses hommes à
cheval. Le juge Ti monta dans le palanquin,
suivi du sergent Hong.

Alors qu'ils se faisaient conduire jusqu'à la
porte de l'Est, le sergent demanda :

— Pourquoi le meurtrier a-t-il pris la peine de
couper la tête de ses victimes, et pourquoi a-t-il
interverti les corps ?

— La première réponse évidente, Hong, c'est
que le meurtrier — ou les meurtriers ! — se
moquaient bien que l'on prît l'une des victimes
pour Seng-san, en revanche, pour quelque obscure raison, il ne voulait pas que l'on retrouvât
le corps de Seng-san. Par ailleurs, il ne tenait pas
à ce que l'on découvrît l'existence de la seconde
victime, non plus que l'identité de cette dernière. Mais il se peut que tout cela soit beaucoup
plus compliqué encore. Enfin, laissons cela de
côté pour l'instant. Nous devons tout d'abord

retrouver le cadavre de Seng-san et la tête de l'autre victime, qui sont sans doute à l'intérieur du temple abandonné ou aux alentours.

Après que le cortège eut franchi la porte de l'Est, quelques passants qui flânaient devant les petites boutiques et les éventaires en plein air, tout au long de la route, se mirent à le suivre, curieux de savoir ce qui se passait. Mais le chef des sbires brandit son fouet et leur cria de s'éloigner.

Un peu plus loin, au pied de la colline boisée, une arche de pierre décorative marquait le début de l'escalier qui conduisait au sommet. Le chef des sbires et ses hommes mirent pied à terre. Comme les porteurs déposaient le palanquin du juge, celui-ci rappela précipitamment au sergent :

— N'oublie pas, Hong, que nos hommes ne doivent pas savoir exactement ce que nous cherchons ! Je leur ai dit qu'il s'agissait d'une grande boîte ou quelque chose dans le genre. (Le juge descendit du palanquin et considéra d'un air perplexe l'escalier.) Dure montée par une chaleur pareille, n'est-ce pas, chef des sbires ?

— Il y a près de deux cents marches, Excellence. Mais c'est le chemin le plus court. Derrière le temple, un sentier descend en pente douce jusqu'à la grand-route, tout près de la porte du Nord. Mais par là, il faut plus d'une heure pour parvenir en haut de la colline. La racaille qui vient dormir dans le temple emprunte cet escalier.

— Parfait.

Le juge releva le devant de sa longue robe et commença l'ascension des larges degrés de pierre, usés par les ans.

A mi-pente, le magistrat ordonna une courte pause, car il avait remarqué que le sergent Hong avait du mal à respirer. En haut des marches, une clairière couverte de grandes herbes s'ouvrait parmi les arbres. A l'autre bout s'élevait un triple portail en pierre flanqué d'un mur d'une hauteur impressionnante. Au-dessus de l'arche centrale du portail, une mosaïque multicolore composait les trois caractères « Tzu-yün-szu » : Temple des Nuages pourpres.

— Le sentier qui longe le mur sur la droite mène au nouveau petit temple, celui que l'on appelle l'Ermitage, Excellence, expliqua le chef des sbires. L'Abbesse y vit avec sa servante. Je ne leur ai pas encore demandé si elles avaient entendu ou vu quoi que ce soit.

— Je voudrais tout d'abord voir les lieux du crime, dit le juge. Conduis-nous !

L'avant-cour pavée était envahie par les herbes et les murs étaient écroulés par endroits, mais la partie centrale du temple au toit élevé flanqué de tours à trois étages avait résisté aux ravages du temps.

— Cette architecture étrangère, fit remarquer le juge Ti au sergent Hong, ne pourra certes jamais atteindre à la perfection de la nôtre. Toutefois, je dois reconnaître que du point de vue technique les bâtisseurs indous se sont bien défendus. Ces deux tours sont parfaitement symétriques. Ce temple, construit il y a trois cents ans, est encore en excellent état... Où avez-vous trouvé Ah-liou, chef des sbires ?

L'homme les conduisit à la lisière du jardin abandonné, à gauche de la cour. Sur la droite s'étendait une friche jonchée de gros rochers. Le juge constata qu'il y faisait plus frais qu'en ville. L'air chaud bruissait de l'incessant chant strident des cigales.

— Cette friche était autrefois un grand jardin parfaitement entretenu, Excellence, commenta le chef des sbires. A présent ce n'est plus qu'un inextricable enchevêtrement de végétation où même les vauriens qui rôdent dans le temple et dans la cour n'osent s'aventurer. Il paraît qu'il y a beaucoup de serpents venimeux... L'accusé était allongé là, sous cet arbre, Excellence, poursuivit-il en désignant un vieux chêne ; sa tête reposait contre cette grosse racine qui sort de terre. A mon avis, il avait l'intention de détaler après avoir assassiné Seng-san, mais il s'est pris les pieds dans cette racine, à cause de l'obscurité. Ivre comme il l'était, il s'est assommé en tombant.

— Oui, je vois. Entrons dans le temple.

Comme les sbires ouvraient les portes à six panneaux de lattis, des morceaux de bois pourri leur tombèrent sur la tête. Le juge Ti gravit les trois larges degrés de pierre, franchit le seuil et inspecta avec curiosité la salle plongée dans la pénombre. De chaque côté, une rangée de six colonnes massives soutenaient de gros chevrons d'où pendaient de vieilles toiles d'araignées comme autant de légères banderoles grises.

Tout au bout, contre le mur du fond, le juge distingua vaguement une table d'autel en ébène massive, de plus de douze pieds de long et cinq de haut environ. Dans le mur latéral s'ouvrait une porte étroite, et tout en haut du mur, une fenêtre carrée avait été condamnée par des planches grossièrement clouées.

— Tes hommes pourraient-ils l'ouvrir ? On n'y voit rien ici ! dit le juge au chef des sbires en désignant la fenêtre.

Sur un signe de leur chef, deux sbires se dirigèrent vers une niche ménagée dans le mur, derrière la rangée des colonnes de gauche, où ils prirent deux hallebardes. Après quoi ils entreprirent de dégager la fenêtre. Pendant ce temps-là, le juge Ti avança vers le centre de la pièce et l'inspecta en lissant lentement ses longs favoris. L'air moite et étouffant l'empêchait de respirer à son aise. A l'exception des trous ménagés à intervalles réguliers dans le mur pour y placer les torches enflammées, il ne subsistait rien qui pût évoquer les orgies dont ce lieu avait été le théâtre des années auparavant ; pourtant il émanait de la salle une étrange atmosphère maléfique. Soudain, le juge eut la déplaisante sensation que des yeux invisibles le fixaient avec hostilité.

— Il paraît qu'autrefois les murs étaient recouverts de grands tableaux multicolores, Votre Excellence, dit le chef des sbires en s'approchant du juge. Ils représentaient des dieux et des déesses nus et...

— Les on-dit ne m'intéressent nullement ! coupa le juge qui, remarquant l'air ulcéré du chef des sbires, poursuivit sur un ton plus amène : A ton avis, d'où peuvent venir ces cendres, là par terre, derrière les colonnes ?

— En hiver, Excellence, les petits malfrats qui hantent ces lieux se chauffent en brûlant des fagots. Ils viennent y passer la nuit, surtout les mois d'hiver, car les murs épais les protègent du froid, de la pluie et de la neige.

— Ce petit tas de cendres, là au milieu, a pourtant l'air bien récent, remarqua le juge.

Les cendres se trouvaient dans une cavité circulaire creusée dans une dalle. Une couronne de pétales de lotus avait été gravée dans la pierre, tout autour de la cavité. Le juge constata que cette dalle se trouvait précisément au centre de la salle. Les huit bannières suspendues alentour portaient des inscriptions en alphabet étranger.

Les planches qui obstruaient la fenêtre au fond de la salle tombèrent avec fracas. Deux ombres s'envolèrent précipitamment de la charpente élevée. L'une d'elles plongea vers le juge qu'elle frôla en poussant un cri aussi impressionnant que strident. Puis les chauves-souris disparurent dans une niche, au-dessus de l'entrée.

Le sergent Hong avait examiné le sol devant l'autel.

— A présent que nous y voyons plus clair, Excellence, dit-il en se relevant, vous pouvez constater vous-même qu'il y a eu une véritable mare de sang ici. Mais l'épaisse couche de poussière et de détritus l'a absorbée. Et il y a tant de traces de pieds qu'il est impossible de tirer la moindre conclusion.

Le juge Ti se dirigea vers le sergent et examina le sol.

— En effet, qu'a-t-il bien pu se passer ici ? Chef des sbires, demande à tes hommes de venir !

Une fois les sbires rangés en demi-cercle devant lui, le juge reprit :

— J'ai appris qu'avant ou après le meurtre, on avait caché dans le temple ou dans ses environs un grand coffre en bois. Nous allons commencer par chercher à l'intérieur. Je m'occuperai de l'aile gauche avec le sergent Hong et trois hommes, le chef des sbires fouillera la droite avec le reste de ses hommes. Ce doit être un coffre relativement grand, alors cherchez plutôt des placards secrets, des dalles qui semblent avoir été soulevées récemment, des portes dérobées, etc. Allez, au travail !

Deux sbires ouvrirent la porte qui se trouvait à côté de la niche réservée aux armes rituelles. Outre les deux longues hallebardes qu'ils avaient remises en place, il y avait dans la niche une double hache tartare, réplique exacte de l'arme du crime. Ils pénétrèrent dans un étroit couloir, de vingt-cinq pieds de long environ, dans lequel ouvraient quatre portes de chaque côté. Ces portes donnaient dans des chambres, très étroites, éclairées par une fenêtre béante ; le lattis couvert de papier avait disparu depuis très longtemps.

— Apparemment, ces chambres étaient les cellules des moines, remarqua le juge. Il doit y avoir huit cellules identiques dans l'aile droite, car ce temple est bâti de façon parfaitement symétrique. Hé! Viens ici, toi! (Désignant du doigt le sol carrelé, le juge Ti dit au sbire :) Essaie de voir si tu peux desceller ces carreaux. Ils n'ont pas l'air très ajustés. Tes deux collègues examineront le sol des cellules d'en face.

Le sbire inséra la pointe de son couteau entre les dalles. Trois d'entre elles se soulevèrent sans difficulté.

— Regarde si l'on n'y a rien enterré!

L'homme creusa la terre meuble avec son couteau, mais ne découvrit rien, à part les fondations mêmes du temple.

— Nous brûlons, Excellence! s'exclama Hong tout excité. Quelqu'un a voulu enterrer quelque chose de volumineux ici et a dû y renoncer en constatant qu'il ne pouvait creuser assez profond!

— Exactement, Hong. On peut abandonner les recherches dans les autres cellules. Le meurtrier est certainement allé voir s'il n'y avait pas davantage de place dans le sol de la tour. Il...

— Pouvez-vous venir voir, Noble Juge? s'écria un sbire. La moitié du dallage de la cellule d'en face a été retirée!

Ils s'empressèrent de le suivre. Six carreaux du centre de la pièce avaient été ôtés et soigneusement empilés dans un coin. Le juge Ti passa le doigt sur le premier de la pile : il était recouvert d'une pellicule de poussière.

— Allons jeter un coup d'œil dans les autres cellules!

Le sol de toutes les cellules avait été sondé.

Dans certaines, les carreaux avaient été soigneusement replacés, dans d'autres négligemment jetés dans un coin.

— Allons voir la tour ! ordonna le juge Ti.

Au bout du corridor, une porte donnait sur une spacieuse pièce octogonale qui constituait le rez-de-chaussée de la tour ouest. Le sol en était intact.

— C'est logique, murmura le juge. Les dalles ont été posées sur une couche de ciment. Il faut une pioche pour y creuser un trou ; mais regardez les boiseries !

En divers endroits, les panneaux de bois pourri qui recouvraient le mur de brique avaient été arrachés, découvrant un espace intermédiaire de deux pouces environ.

— Je ne comprends pas pourquoi... commença le sergent perplexe.

— Moi si, coupa le juge d'un ton bourru. Que les sbires inspectent l'escalier et les étages ! Venez avec moi, sergent ! Nous allons monter tout en haut pour prendre l'air.

Les deux hommes montèrent l'escalier qui craquait à chaque pas en prenant soin d'éviter les trous, là où une marche vermoulue s'était effondrée.

Un étroit balcon bordait le dernier étage de la tour, sous le toit pointu en surplomb. Le juge Ti s'approcha de la balustrade peu élevée. Les mains croisées dans ses vastes manches, il contempla l'étendue verte des cimes des arbres, en contrebas. Au bout d'un moment, il se tourna vers le sergent et lui dit en souriant :

— Je suis désolé d'avoir été aussi expéditif

avec toi, tout à l'heure, Hong. C'est une affaire particulièrement troublante. Nous voilà en possession de notre premier indice, mais il semble n'avoir aucun rapport avec notre meurtre ! Ce temple a été fouillé, et au peigne fin, qui plus est. Mais pas pour y cacher un corps et une tête coupée, et pas hier, mais il y a un certain temps déjà. On recherchait à mon avis un objet de petite taille, de quelques pouces carrés tout au plus.

Le sergent hocha lentement la tête.

— Comment savez-vous, Excellence, que cet objet était si petit ? demanda le sergent Hong.

— Eh bien, quand notre homme a eu soulevé les carreaux de la première cellule et se fut aperçu que la couche de terre au-dessous ne faisait que cinq ou six pouces d'épaisseur, il est allé sondé le sol des autres cellules, dans l'espoir d'y trouver quelque chose enterré. Puis il a fouillé l'espace vide entre les boiseries qui, comme tu viens de le voir, ne sont qu'à quelques pouces du mur de brique. (Le juge réfléchit un instant avant de poursuivre :) J'ai également l'impression que la fouille a été menée indépendamment par deux individus différents. L'un avait plus l'expérience de ce genre de travail ; il a essayé d'effacer les traces de ses recherches en replaçant méthodiquement les carreaux. En revanche, l'autre n'en a pas pris soin, il s'est contenté de les envoyer dans un coin et a arraché les boiseries.

— Vous avez dit que la recherche de cet objet n'a rien à voir avec notre enquête, Excellence. Pourtant nous savons que Seng-san avait l'habitude de venir dans ce temple. Il y a sans doute un lien entre le meurtre et la fouille, bien que cette dernière ait été effectuée longtemps avant le crime.

— Oui, tu as raison, Hong ! C'est une hypothèse que nous devons considérer sérieusement. Seng-san et l'autre homme ont peut-être été assassinés parce qu'ils ont trouvé ce que leurs rivaux avaient cherché en vain ! (Le juge Ti réfléchit un moment en caressant sa longue barbe.) Quant au corps et à la tête que nous cherchons, nous ne les trouverons pas à l'intérieur. Tu auras remarqué qu'il n'y a pas la moindre trace de sang ici. (Il désigna les cimes des arbres en contrebas.) C'est dans ce jardin en friche que nous devons poursuivre nos recherches. Ce ne sera pas simple, car tu vois combien il est vaste. Allez, on ferait mieux de redescendre.

Les trois sbires chargés d'inspecter les étages inférieurs l'informèrent qu'apparemment aucune fouille n'y avait été effectuée. Les murs étaient dépourvus de boiseries et l'on n'avait pas touché aux briques. Dans la salle, le chef des sbires épongeait son visage moite et maculé de poussière avec son foulard. Ses hommes se tenaient autour de lui en parlant à voix basse.

— Quelqu'un a fouillé les sols et les murs, Excellence, déclara-t-il d'un air découragé. Mais nous n'avons pas trouvé de grand coffre.

— Il doit être enterré quelque part dans le jardin. A propos, où mène cette porte étroite, près de l'autel ? Je n'ai pas vu de porte de service dans le mur extérieur lorsque je me trouvais en haut de la tour de l'ouest.

— Cette porte donne sur un étroit passage derrière la salle, Votre Honneur. Il y avait anciennement une porte dans le mur mais elle a été condamnée il y a des années.

— Très bien. Emmène tes hommes au jardin et tâchez de voir si l'on y a creusé un trou récemment. Pendant ce temps, le sergent et moi-même irons à l'Ermitage.

— Le meurtrier avait certainement un complice, Hong, ajouta le juge Ti en traversant l'avant-cour du temple. Traîner le cadavre de Seng-san aussi loin dehors, tacher de sang la veste d'Ah-liou, puis enterrer le corps et la tête de l'autre victime dans cet épais taillis... un seul homme n'aurait pu le faire ! Deux meurtres et aucun mobile ! Je n'aime pas ça du tout, Hong !

Ils franchirent la triple porte et prirent le sentier qui longeait le mur extérieur du temple.

— Pendant les périodes d'agitation politique, les moines bouddhistes enterraient fréquemment les statues d'or et autres objets de culte précieux pour les préserver du vol. Si un tel trésor a effectivement été enterré dans ce temple abandonné, nous tenons là un mobile concret. Le seul ennui, c'est que je n'en ai jamais entendu parler...

— Quelqu'un aura peut-être découvert une information à ce sujet dans un ancien document oublié, Excellence.

— Oui, c'est fort possible, Hong ! Imagine que l'homme ait alors engagé trois ou quatre vauriens pour l'aider à chercher en secret le

76

trésor ; si Seng-san ou l'autre individu en avaient fait partie et avaient voulu garder le butin pour eux tout seuls, cela aurait fourni aux autres une excellente raison pour les faire disparaître. Cette hypothèse établirait un lien logique entre la fouille et les meurtriers.

Le sentier entra dans la petite zone boisée entre le temple et l'Ermitage. Le juge s'arrêta et se retourna.

— Nous avons une vue parfaite du temple, d'ici. La colline descend en pente raide depuis le mur de derrière. C'est pourquoi le chemin qui mène à la grand-route est tellement sinueux. Nous devons essayer d'en savoir davantage sur l'histoire de ce temple, Hong. Quand nous serons rentrés au tribunal, tu feras quelques recherches dans les archives. Tâche de découvrir quand exactement les autorités ont ordonné aux religieux d'évacuer le temple, qui en était le supérieur, où il est allé, et si par hasard il a été question à l'époque d'un trésor caché.

Après quelques minutes de marche dans la forêt, ils découvrirent le mur soigneusement enduit de l'Ermitage, petit temple à un étage, bâti dans le plus pur style chinois. Le toit, aux coins redressés en forme de queues de dragon était recouvert de tuiles vertes vernissées. On entendait les canards cancaner au loin, dans l'incessant chant des cigales.

Le sergent frappa le heurtoir de cuivre poli contre la porte de laque rouge. Il recommença plusieurs fois avant de voir s'ouvrir le judas et un visage de jeune fille apparaître derrière la grille. Elle examina d'un air méfiant les deux visiteurs, fixant sur eux de grands yeux vifs, puis leur demanda sèchement :

— Que désirez-vous ?

— Nous appartenons au tribunal, répondit le sergent. Ouvrez !

La jeune fille les fit entrer dans une petite cour pavée. Il s'agissait vraisemblablement de la servante, puisqu'elle portait une simple veste bleu marine et un large pantalon assorti. Le juge Ti remarqua qu'elle avait un joli minois, quoique commun, aux joues rebondies et creusées de charmantes fossettes. Les dalles grises de la cour, d'une propreté irréprochable, avaient été arrosées pour maintenir la fraîcheur en ces lieux. Il y avait sur la gauche un petit bâtiment de briques rouges et sur la droite un autre plus grand, pourvu d'une véranda. Les murs du temple, au fond, étaient d'un blanc immaculé et les colonnes, qui soutenaient les poutres incurvées, peintes en laque rouge. Dans le coin, à côté du puits, une rangée de plantes en pots étaient disposées dans une sorte de ratelier, sur l'étagère supérieure duquel quelques vases de porcelaine contenaient des fleurs arrangées avec goût. Le juge y reconnut le style de décoration florale que pratiquaient ses épouses et en déduisit que ce devait être l'œuvre de l'Abbesse. La subtile fragrance des orchidées flottait dans l'air. Le juge se dit qu'après le temple abandonné, ces lieux raffinés formaient assurément un contraste fort plaisant.

— Bon alors, s'impatienta la jeune fille, que puis-je faire pour vous, nobles seigneurs ?

78

— Porte ma carte de visite à l'Abbesse, ordonna le juge en fouillant dans sa manche.

— L'Abbesse est en train de faire la sieste, répondit-elle d'un air maussade. Ce soir elle est invitée à dîner en ville, chez le magistrat. Si vous insistez, je peux…

— Oh non ! s'empressa de répondre le juge. Je suis simplement venu vous demander si vous aviez l'une ou l'autre entendu ou vu quoi que ce soit de suspect la nuit dernière. Des vagabonds ont fait du grabuge dans le temple abandonné, aux environs de minuit.

— Vers minuit ? s'esclaffa-t-elle. (La jeune fille désigna d'un geste ample tous les bâtiments alentour avant de poursuivre :) Figurez-vous que c'est à moi de faire le ménage dans tous ces bâtiments ! Le temple est très petit, mais il y a toute sorte de bric-à-brac sur l'autel à épousse-ter. Vous croyez peut-être que j'ai encore la force de traîner jusqu'à minuit, après une telle journée de travail ?

— Et c'est toi qui fais les courses également ? demanda le juge avec curiosité. Si tu dois en plus monter et descendre cet escalier tous les jours…

— Je ne descends qu'une fois par semaine, pour aller chercher du soja, du sel et des haricots. On ne mange ni viande ni poisson… C'est bien ma veine !

— J'ai entendu des canards, pourtant.

Le visage de la jeune fille s'adoucit.

— Ce sont les miens. L'Abbesse m'a autori-sée à les garder, pour les œufs. Les petits sont tellement mignons… A part ça, qu'y a-t-il pour votre service ? fit-elle en se reprenant.

— Rien pour le moment. Allez, Hong, on retourne au temple voir s'il y a du nouveau.

— Quelle petite effrontée ! remarqua le sergent alors qu'ils s'enfonçaient de nouveau dans les bois.

— Elle adore ses canards, et c'est déjà quelque chose. Enfin, je suis content d'avoir vu l'Ermitage. L'ambiance de raffinement qui y règne confirme la haute estime en laquelle mes épouses tiennent l'Abbesse.

Le chef des sbires et deux de ses hommes étaient assis sur les marches de l'entrée principale du temple, exténués par la chaleur et débraillés. Ils se levèrent d'un bond en voyant entrer le juge Ti dans la cour.

— Peine perdue, Excellence. Je jurerais que personne n'a mis les pieds dans cette satanée friche depuis très, très longtemps ! Il n'y a même pas de sentier, ni la moindre trace de terre retournée. Le reste de mes hommes essaient de revenir en longeant le mur extérieur.

Le juge Ti s'assit sur une grosse pierre, à l'ombre du mur, et commença à s'éventer vigoureusement.

— Vous avez dit que le meurtrier avait probablement un complice, Excellence, rappela le sergent au bout d'un moment. Ont-ils pu déposer le corps sur une civière improvisée et le transporter en bas de la colline ?

— C'est possible, mais peu vraisemblable. Ils auraient couru le risque de rencontrer d'autres vagabonds, et ceux-ci sont très curieux de nature. Le jardin est notre meilleure chance, ce me semble.

Les uns après les autres, les sbires émergèrent du jardin en secouant la tête.

— Il se fait tard, dit le juge en se levant. Nous ferions mieux de rentrer au yamen. Pose les scellés sur les portes du temple, chef des sbires, postes-y deux hommes pour surveiller les lieux. Veille à les faire relever au crépuscule.

VII

*Ma Jong résiste vaillamment
à la tentation avec une Tartare ;
il succombe lamentablement à la panique
avec une autre.*

Ma Jong avait enfilé un pantalon ample et une veste rapiécée de coton bleu passé, et s'était relevé les cheveux avec un bout de chiffon rouge. Dans cet accoutrement des moins honorables, il ne risquait pas d'attirer l'attention, dans ce quartier nord-ouest de la ville réservé aux Tartares, aux Indiens, aux Ouigours, et autres Barbares.

Il avait un bon bout de chemin à faire, mais il progressa rapidement car la plupart des échoppes étaient fermées pour la sieste et peu de monde circulait dans les rues. Après la Tour du Tambour, les ruelles étaient beaucoup plus animées : leurs nouilles avalées précipitamment, les pauvres qui habitaient le quartier devaient se remettre aussitôt au travail afin de réunir les quelques sapèques indispensables à leur repas du soir.

Jouant des coudes pour traverser la foule bigarrée des coolies d'Asie centrale et des colporteurs chinois qui se pressaient dans les ruelles malodorantes, Ma Jong arriva enfin dans l'impasse où Talbi avait ouvert sa petite gargote. Il la vit de loin, devant son four, en train de gronder son fils aîné qui touchait au feu sous l'énorme chaudron de fer. Son deuxième fils s'accrochait à sa robe. Il était encore trop tôt pour qu'il y ait des clients. Ma Jong s'approcha de la femme.

— Ma Jong! s'écria-t-elle joyeusement. Comme je suis contente de te revoir! Mais comment es-tu attifé! Ton patron t'a fichu dehors? Je t'ai toujours dit que tu étais un type beaucoup trop bien pour faire ce sale métier. Tu devrais...

— Chut... l'interrompit-il. Je me suis habillé comme ça parce que je suis en mission.

— Allez, lâche-moi, petit garnement! criat-elle en tirant les oreilles de son jeune fils qui s'accrochait obstinément à elle.

Le petit garçon se mit aussitôt à brailler de tous ses poumons. Son frère jeta un regard méprisant à Ma Jong et cracha dans le feu. Ma Jong reconnut l'odeur trop familière du beurre rance et remarqua que la femme avait le nez sale. Elle avait grossi également. Il remercia en silence le ciel miséricordieux de lui avoir épargné tout cela. Puis il fouilla dans sa manche et en sortit une ligature de sapèques.

— Voilà... commença-t-il.

— Tu n'as pas honte, Ma Jong! s'exclamat-elle d'un air boudeur en levant la main. Tu m'offres de l'argent pour ça, toi! (Mais elle glissa néanmoins les sapèques dans sa manche et poursuivit :) Mon mari est absent pour la journée, on peut donc aller très gentiment bavarder là-haut, dans ma chambre. Les garçons s'occuperont de la boutique et...

— Je viens de te dire que je suis en mission ! s'empressa-t-il de répondre. Cet argent est à toi contre renseignements, comme on dit ! Assieds-toi là sur ce banc.

— Allez, monte avec moi ! insista-t-elle en lui prenant la main d'un air décidé. Tu auras tes renseignements en prime. C'est pas désagréable d'avoir abandonné le turbin, c'est sûr, mais... le changement a quand même du bon. Et tu sais quels sont mes sentiments pour toi, Ma Jong ! ajouta-t-elle en regardant la porte de l'étage d'un air plein de sous-entendus.

Ma Jong la fit aussitôt asseoir sur le banc et prit un siège à côté d'elle.

— La prochaine fois, ma chérie. Je suis pressé, je t'assure ! Je suis censé me renseigner sur une querelle que les gens de ton peuple ont eue avec Seng-san, un malfrat du quartier de la porte de l'Est. Une très sale histoire, crois-moi ! Seng-san s'est fait couper la tête.

— Nos gars ne se mêlent jamais aux voyous chinois, répondit-elle d'un air sombre. Et comment le pourraient-ils, ils ne parlent pas la même langue ? Tu te souviens comme tu m'apprenais le chinois, Ma Jong ? demanda-t-elle en s'animant de nouveau.

— Tu penses bien ! dit-il en souriant malgré lui. Bon, je n'ai pas dit que tes frères avaient fait quelque chose de mal, tu sais. Mon patron désire simplement éviter le grabuge ; il aime que sa maison soit bien tenue, comme ils disent dans leur jargon. Allez, ma fille, n'as-tu pas entendu

Ma Jong rencontre une ancienne bonne amie

tes clients parler d'une bagarre dans le vieux temple, au-delà de la porte de l'Est ?

Talbi se cura le nez d'un air songeur puis déclara lentement :

— La seule grosse histoire dont j'ai entendu parler récemment, c'est le meurtre d'un chef tartare, de l'autre côté de la frontière ; c'était une vendetta. (Elle lui jeta un regard en coin avant de poursuivre :) Tu m'as fait penser à quelque chose en parlant du temple. Il y a une femme étrange qui habite à quatre rues d'ici, une sorcière. Elle s'appelle Tala. C'est une vraie sorcière, elle connaît le passé et l'avenir. Si l'un de nous veut entreprendre quoi que ce soit, il commence par aller la consulter. Elle sait tout, Ma Jong, absolument tout ! Mais ça ne signifie pas pour autant qu'elle dise tout ce qu'elle sait ! Les gens lui en veulent un peu en ce moment ; ils prétendent qu'elle leur a donné de mauvais conseils, peut-être exprès. S'ils n'avaient pas aussi peur d'elle, ils l'auraient déjà... (Elle fit glisser son index en travers de son cou.)

— Où est-ce exactement ?

— Cesse de jouer avec le feu ! ordonna-t-elle à son fils aîné. Emmène Monsieur Ma chez Tala ! (Tandis que Ma Jong se levait, elle lui chuchota en un souffle :) Sois prudent, Ma Jong ! Le quartier n'est pas sûr !

— Ne t'inquiète pas, je ferai attention à moi. Et merci encore !

La ruelle sinueuse dans laquelle le conduisit le petit garçon était bordée de maisons à un étage, aux vieux murs de torchis et aux toits de chaume grossiers. Après avoir montré du doigt une maison un peu plus grande que les autres dont le toit pointu évoquait vaguement les tentes tartares, le garçon s'éclipsa. Il n'y avait dans la ruelle que trois Tartares, assis le dos au mur, en face de chez la sorcière. Ils portaient des pantalons de cuir retenus par de larges ceintures; leurs torses musclés étaient nus. Le soleil de midi frappait leurs crânes ronds et luisants, entièrement rasés à l'exception d'une longue mèche de cheveux sur la nuque. Au moment où Ma Jong les dépassa, l'un d'eux dit à ses compagnons, en mauvais chinois : « Elle reçoit même la racaille chinoise maintenant ! »

Ignorant volontairement l'insulte, Ma Jong ouvrit le rideau de porte graisseux. Il distingua dans l'obscurité deux silhouettes recroquevillées auprès d'un petit feu qui brûlait dans un trou du sol en terre battue. Comme personne ne lui prêtait la moindre attention, il s'assit sur un tabouret bas, à côté de l'entrée. Il ne voyait pas grand-chose, encore ébloui par le soleil. L'air frais était chargé d'un parfum d'encens étranger qui rappela à Ma Jong l'odeur de certaines pharmacies ; ce devait être du bois de camphre, pensa-t-il. Le personnage encapuchonné assis de dos poursuivait dans une langue aux sonorités gutturales son incompréhensible monologue. C'était une très vieille femme, en manteau de feutre tartare. Celle qui lui faisait face, de l'autre côté du feu, semblait assise sur une chaise basse. Ma Jong ne pouvait distinguer sa silhouette, entièrement enveloppée des épaules jusqu'aux pieds dans un long manteau informe. Elle avait la tête nue ; une masse de longs cheveux noirs redescendait en cascade sur ses épaules, lui couvrant à moitié le visage, penché vers le feu. La sorcière écoutait la vieille qui poursuivait inlassablement son récit de sa voix monotone.

Ma Jong croisa les bras. Installé pour une longue attente, il examina le misérable mobilier. Contre le mur, derrière la sorcière, il y avait un grossier châlit, flanqué de deux tabourets de bambou. Sur l'un d'eux était posée une clochette de cuivre à la longue poignée finement ouvragée. Du mur au-dessus du lit, deux grands yeux regardaient Ma Jong : c'étaient ceux d'un dieu à l'air féroce, de la taille d'un homme et peint de couleurs vives. Sa chevelure dressée formait une sorte d'auréole autour de sa large tête. L'un des bras brandissait une arme rituelle des plus curieuses ; il tenait dans la main gauche une coupe confectionnée dans un crâne humain. Le corps rouge et obèse était nu, si ce n'était une peau de tigre nouée autour des reins. Un serpent était enroulé autour de ses épaules. Etait-ce l'effet de la flamme vacillante, ou bien la bouche ouverte à la langue tirée avait-elle réellement grimacé un sourire railleur ? Ma Jong eut le sentiment fugace qu'il ne s'agissait pas d'un tableau mais d'une statue. Il ne pouvait en être absolument certain, car derrière la monstrueuse divinité, seules les ténèbres s'étendaient.

Troublé, il détourna les yeux de l'image repoussante et scruta le reste de la pièce. Un tas d'ordures était amoncelé dans le coin opposé. Des peaux de bête étaient empilées contre le mur latéral, à côté duquel était posé une grande cuvette d'eau en cuivre martelé. Se sentant incroyablement mal à l'aise, Ma Jong resserra sa veste autour de ses épaules, car il commençait à faire vraiment frais. S'efforçant de penser à d'autres choses, plus agréables, il se dit qu'après tout Talbi n'était pas si mal que cela. Il faudrait qu'il passe la voir un de ces jours avec des petits cadeaux. Puis il pensa à la femme qui s'appelait Jade, et au mystérieux message qu'ils avaient découvert dans le coffret d'ébène. Avait-elle finalement été délivrée, où pouvait-elle se trouver aujourd'hui ? Jade était un très joli nom, évocateur d'une beauté à la fois douce et lointaine. Il imaginait une femme des plus désirables... Ma Jong leva les yeux. La voix de la vieille s'était enfin tue.

Une main blanche sortit d'entre les plis du manteau de la magicienne. Elle attisa le feu avec une fine baguette, puis de l'extrémité rougeoyante traça quelques diagrammes divinatoires dans les cendres, en répondant à voix basse à la vieille. Celle-ci hocha vivement la tête, après quoi elle déposa quelques sapèques graisseuses auprès du feu, se redressa en maugréant, puis disparut derrière le rideau de feutre de la porte.

Ma Jong allait se lever pour se présenter quand la sorcière releva la tête ; il se rassit aussitôt. Deux grands yeux flamboyants étaient fixés sur lui ; ces mêmes yeux qui l'avaient intensément regardé le matin dans la rue. Elle avait un visage extrêmement beau quoique froid, et ses lèvres blêmes s'incurvaient en un sourire dédaigneux.

— Etes-vous venu pour savoir si votre bonne amie vous aime toujours, Monsieur l'officier du tribunal ? Ou peut-être votre maître vous envoie-t-il pour vérifier que je pratique la sorcellerie, interdite par vos lois ? (Elle s'exprimait en un chinois irréprochable. Comme Ma Jong la regardait, médusé, elle poursuivit :) Je vous ai vu ce matin, Monsieur l'officier, vêtu de pied en cap ; vous suiviez votre maître, le juge barbu.

— Vous avez une bonne vue ! marmonna Ma Jong.

Le lieutenant du juge Ti approcha son tabouret du feu qui se consumait lentement. Il ne savait par où commencer.

— Parlez, qu'est-ce qui vous amène ici ? Je ne recèle aucune marchandise volée. Vérifiez vous-même !

Elle attisa le feu et désigna de sa baguette le coin de la pièce.

Ma Jong en eut le souffle coupé. Ce qu'il avait pris pour un tas d'ordures était en réalité un monceau d'ossements humains. Deux crânes semblaient lui sourire de leurs bouches édentées. Par-dessus les peaux de bêtes, des fémurs étaient alignés à côté d'un os de bassin brisé et noirci par le temps.

— C'est un sacré cimetière ! s'exclama Ma Jong horrifié.

— Ne vivons-nous pas dans un cimetière, partout et toujours ? railla Tala. Les morts sont infiniment plus nombreux que les vivants. On nous tolère tout juste ici-bas. Autant rester en bons termes avec les morts, Monsieur l'officier. Alors, qu'est-ce qui vous amène ?

Ma Jong prit une profonde respiration. Il était absolument inutile d'espérer jouer au plus fin avec cette femme étonnante.

— Un voyou nommé Seng-san a été assassiné cette nuit, au-delà de la porte de l'Est, déclara-t-il sèchement. Il...

— Vous perdez votre temps, coupa-t-elle. Je ne suis au courant que de ce qui se passe ici dans le quartier ; et de l'autre côté de la frontière. Je n'ai pas la moindre idée de ce qui peut se produire à l'autre bout de la ville. Toutefois, si vous désirez en savoir davantage sur la fille à laquelle vous étiez en train de penser il y a un instant, je pourrais peut-être vous être utile. (Devant l'air interloqué de Ma Jong, elle s'empressa de préciser :) Pas cette petite catin de Talbi, Monsieur l'officier, mais l'autre, celle qui porte un nom de pierre précieuse.

— Si vous savez... qui est Jade, et où... balbutia Ma Jong.

— Moi, non ; mais je vais demander à mon époux.

La femme se leva et se débarrassa de son manteau d'un brusque mouvement des épaules. Ma Jong n'était pas au bout de ses surprises : son corps élancé et superbe était entièrement nu.

Il resta bouche bée, paralysé par la terreur, car ce corps blanc, parfaitement glabre et lisse, semblait si irréel, si éloigné de la vie quotidienne, que ses courbes généreuses, loin d'exciter son désir, l'anesthésièrent totalement. La peur abjecte de l'inconnu s'était emparée de Ma Jong. Quand, après un effort surhumain, il parvint à détourner les yeux, il découvrit qu'elle n'était pas auparavant assise sur une chaise, mais sur une pyramide de crânes.

— Oui, dit-elle d'une voix froide et impersonnelle, voilà le commencement, dépouillé de tous vos rêves ridicules, de toutes vos illusions adorées. (Désignant l'amoncellement de crânes, elle ajouta :) Et voici la fin, au-delà de toutes les creuses promesses et de tout espoir naïf.

Elle renversa la pile du bout de son pied nu. Les crânes roulèrent avec fracas sur le sol.

Pendant un moment, elle resta là à regarder Ma Jong d'un air profondément méprisant, les poings sur les hanches, jambes écartées. Il sentit une sueur froide lui couler le long du corps, tandis qu'il se tenait toujours immobile, pétrifié sur son siège. Comme dans un rêve, il la regarda se tourner brusquement puis dénouer un cordon enroulé à un crochet du mur. Un écran de tissu peint, suspendu aux poutres noircies, descendit lentement, séparant la pièce en deux parties. La femme secoua sa lourde chevelure et disparut derrière l'écran.

Le feu se mourait, semblait-il. Si Ma Jong n'avait pas entièrement compris le sens de ses paroles, elles l'avaient néanmoins rempli d'un terrible sentiment de solitude et d'abandon. Il contemplait fixement les étranges symboles représentés sur l'écran, les sangs glacés, quand soudain le tintement aigrelet de la clochette en cuivre le tira de sa torpeur. Tala entonna un chant monotone dans une langue mystérieuse. Il s'élevait puis mourait pour renaître aussitôt avec le tintement de la clochette. Il faisait de plus en plus chaud dans la pièce, et une écœurante odeur de décomposition couvrait le parfum suave du bois de camphre. L'atmosphère devint peu à peu irrespirable ; la veste de Ma Jong était trempée de sueur. Tout à coup, le chant se transforma en une lente mélopée. Le tintement de la clochette cessa. Ma Jong serrait les poings, en proie à une rage impuissante, s'enfonçant les ongles dans ses paumes calleuses, et il fut pris d'une brusque nausée.

Au moment précis où il crut qu'il allait être malade, l'air s'éclaircit d'un coup. L'agréable parfum du camphre remplaça la puanteur nauséabonde et il fit sensiblement moins chaud dans la pièce. Pendant quelques instants, il régna un calme de tombeau. Puis la voix de la femme s'éleva de derrière l'écran, étonnamment claire et nette :

— Remontez l'écran et rattachez le cordon.

Ma Jong obéit aussitôt, sans oser la regarder. Après avoir rattaché le cordon au crochet, il se retourna et la découvrit allongée sur le châlit, la tête posée sur le bras, les yeux clos. Sa longue chevelure retombait vers le sol.

— Approchez-vous ! ordonna-t-elle sans rouvrir les yeux.

Ma Jong prit place sur un tabouret de bambou au pied du lit. Le corps de Tala était entièrement recouvert d'un léger voile de sueur. Sa lèvre inférieure saignait.

— Votre Jade est née il y a vingt ans, le quatrième jour du cinquième mois de l'Année du Rat. Elle est morte l'année dernière, le

L'épouse d'un dieu...

dixième jour du neuvième mois, Année du Serpent, des suites d'une chute.

— Mais comment… qui a… ? commença Ma Jong.

— C'est tout ce que j'ai appris. J'en ai appris également sur mon propre compte ; sans rien avoir à demander. Allez-vous-en !

Au prix d'un effort considérable, Ma Jong rassembla ses forces.

— Je dois vous ordonner de me donner des détails, autrement, je me verrais dans l'obligation de vous conduire au tribunal, pour…

Tala tendit nonchalamment la main vers lui, toujours sans le regarder.

— Montrez-moi votre mandat !

Comme Ma Jong ne répondait pas, elle souleva brusquement ses paupières lourdes. Ses yeux, injectés de sang, avaient l'air vides, comme morts.

Ma Jong eut un haut-le-cœur. Il se leva et se dirigea vers la porte. Ebloui par le soleil, il se heurta à quelqu'un. C'était l'un des Tartares. Les trois hommes occupaient toute la ruelle et lui barraient le passage. Le plus grand lui envoya une bourrade.

— Regarde où tu mets les pieds, fils de chien ! Alors, on s'est bien amusé avec la sorcière ?

Toute la peur et l'agressivité qu'il avait contenues se libérèrent brusquement. Il renversa le Tartare d'un coup de poing au menton si violent que l'homme s'écroula comme une masse. Les deux autres s'enfuirent à toutes jambes : ils avaient reconnu dans le regard enflammé de Ma Jong le désir de tuer. Fou de rage, il s'élança

96

à leur poursuite. Dans la rue, tout le monde s'écarta devant ce géant fou qui vociférait des insultes, quand il trébucha et s'affala face contre terre. Après s'être relevé tant bien que mal, Ma Jong s'aperçut qu'il se trouvait dans la rue de Talbi.

La jeune femme était devant son fourneau, occupée à remuer la soupe dans le chaudron avec une grande louche. Regardant par-dessus son épaule, elle grondait d'une voix stridente son fils aîné qui s'amusait à tirer les cheveux de son petit frère en larmes.

La colère de Ma Jong tomba aussitôt. Cette scène banale et domestique lui réchauffa le cœur. Selon la position du soleil, il était encore tôt dans l'après-midi. Avant tout, un bon bol de soupe pour se remettre l'estomac en place... Ma Jong s'essuya vivement le visage, maculé de boue, et se dirigea vers la jeune femme en arborant un large sourire.

VIII

Le juge Ti rédige une proclamation publique ;
il mange du cochon rôti en compagnie
d'une belle Abbesse végétarienne.

La grande salle à manger de la résidence du
juge Ti était brillamment éclairée, et dans le
jardin un essaim de servantes suspendaient des
guirlandes de lampions multicolores aux
branches basses des arbres. La Première
Epouse, en robe de brocart violet broché et
chatoyant, prenait congé de sa dernière invitée
de l'après-midi. A peine l'eut-elle raccompagnée
qu'elle jeta un regard inquiet en direction de la
petite porte du tribunal. L'intendant lui avait
appris que le juge était rentré du temple depuis
une demi-heure, mais il n'était toujours pas
apparu. Se tournant vers la Troisième Epouse,
jeune femme à l'air des plus fragiles dans sa
longue robe de gaze blanche empesée, elle lui
confia : « J'espère que notre époux arrivera à
temps pour recevoir l'Abbesse ! Nous dînons
dans une heure… »

Dans le cabinet de travail du juge Ti, la discussion tirait à sa fin. Le magistrat, confortablement renversé dans son fauteuil, peignait lente-

ment sa longue barbe noire de ses doigts écartés. La lueur du chandelier d'argent se reflétait sur ses traits tirés. Le sergent Hong était assis, recroquevillé sur une chaise en bambou, dans un coin de la pièce, épuisé par cet après-midi torride passé à fouiller le temple puis à faire des recherches dans les archives poussiéreuses du tribunal. Ses doigts fins ne cessaient de rouler et dérouler sur ses genoux la feuille sur laquelle il avait pris des notes. Assis en face du juge, Ma Jong quant à lui avait l'air morose. Après que le juge lui eut résumé le résultat des recherches effectuées au temple, son lieutenant lui avait relaté sa visite à la magicienne, et son maître lui avait fait répéter mot pour mot leur conversation. Si le moment qu'il avait passé en compagnie de Talbi l'avait délivré de sa hantise de ne pouvoir dorénavant aimer une femme, le simple récit de son éprouvante entrevue avec Tala l'avait beaucoup plus bouleversé qu'il ne voudrait jamais l'admettre.

— En ce qui concerne les propos de cette dénommée Tala, dit enfin le juge, je préfère que nous en restions là. Ils sont inspirés par une croyance infâme, qui sape tout ce que l'honnête homme tient pour le plus sacré. Quant à ses allusions à la jeune Jade, il n'y a rien d'étonnant à ce qu'elle ait deviné que son sort te préoccupait, Ma Jong. En attendant que la magicienne en ait terminé avec la vieille, tu avais concentré toutes tes pensées sur Jade. Et Tala, comme la plupart des femmes de son étrange profession, possède à l'évidence la faculté de lire dans les pensées — jusqu'à un certain point, bien entendu. L'essentiel de leur réussite en tant que devineresse repose sur ce don. En revanche, pour ce qui est de savoir comment elle a appris les dates de la naissance et de la mort supposée de Jade, je ne me hasarderai pas à émettre une hypothèse.

— Arrêtons cette horrible femme et arrachons-lui la vérité ! s'exclama Ma Jong.

Le juge Ti choisit un formulaire officiel dans la pile de papiers posée sur son bureau et le remplit en quelques coups de pinceau rouge. Après y avoir apposé le large sceau du tribunal, il déclara en hochant la tête :

— J'ai effectivement le devoir d'essayer de l'arrêter. Mais je n'ai pas le moindre espoir que nous y parvenions. Il est évident qu'elle sait que nous allons lancer un mandat d'arrêt contre elle. Elle est peut-être en ce moment même en train de franchir la frontière vers le territoire tartare ! D'autant plus que dans le quartier nord-ouest, ses compatriotes eux-mêmes se retournent à présent contre elle. Quoi qu'il en soit, va porter ce papier au chef des sbires, Ma Jong, et explique-lui où trouver Tala !

— Pourquoi a-t-elle fourni ce renseignement à Ma Jong, Excellence ? s'étonna le sergent Hong après le départ du lieutenant.

— Je l'ignore, Hong ! En tout cas, nous savons maintenant que le message contenu dans le coffret d'ébène n'était pas entièrement fantaisiste. Pour ce qui est de sa signification véritable, cependant...

Le juge laissa sa phrase en suspens, fixant sombrement le coffret d'ébène.

Quand Ma Jong réapparut, le juge Ti se redressa sur son siège.

— Prends un pinceau et une feuille de papier, Ma Jong, dit-il vivement. Ecris ce que je vais te dicter. (Dès que son lieutenant eut humecté son pinceau, le juge poursuivit :) « Quiconque serait susceptible de fournir des renseignements sur le nom de famille et le lieu où se trouve actuellement une femme prénommée Jade, ayant disparu le neuvième mois de l'Année du Serpent, est instamment prié de se présenter dès que possible au tribunal. Le magistrat Ti. » Ce sera tout, Ma Jong. Apporte ça aux scribes et demande-leur d'en faire une douzaine de copies qui seront affichées ce soir même dans toute la ville. Rendre publique cette proclamation est le mieux que je puisse faire en ce qui concerne cette troublante énigme du coffret d'ébène.

Le juge se radossa confortablement puis demanda brutalement au sergent :

— Raconte à Ma Jong ce que tu as appris sur le temple abandonné !

Hong approcha son siège de la chandelle et consulta le papier posé sur ses genoux avant de commencer :

— Le Temple des Nuages pourpres a été construit il y a deux cent quatre-vingts ans par des moines indiens, grâce aux fonds fournis par la communauté étrangère, alors en pleine expansion. Le temple a traversé quelques vicissitudes lors des guerres frontalières, mais les services religieux n'ont jamais été interrompus longtemps. Il y a trente ans, trois religieux qui servaient la nouvelle croyance (1), venus de l'autre côté de la frontière avec trois nonnes, s'installèrent au temple. Ils convertirent certains des reclus, les autres partirent dégoûtés et furent remplacés par de nouveaux adeptes, Tartares et Chinois. La nouvelle foi se répandit comme une traînée de poudre parmi les Barbares, et la population étrangère du district se rendit en foule au temple. Ensuite, il y a environ quinze ans de cela, quelques citoyens importants déposèrent une plainte auprès de ce tribunal en dénonçant les rites obscènes pratiqués dans le temple. Le magistrat ordonna une enquête ; le Supérieur fut arrêté et envoyé enchaîné à la capitale. Toutes les peintures, statues et autres objets de culte furent brûlés en public sur la place du marché et les religieux expulsés.

— Excellente initiative ! remarqua le juge Ti avec fougue. C'est le seul moyen de mettre un terme à de tels excès.

Le sergent jeta un coup d'œil sur ses notes et reprit :

— Ces mesures énergiques provoquèrent des troubles parmi la population tartare ; il y eut même une tentative de soulèvement. Afin de calmer les esprits, le magistrat autorisa un prêtre chinois et une prêtresse tartare, qui s'étaient rétractés, à construire l'Ermitage et à y pratiquer l'ancien rituel bouddhique toléré par les autorités. Toutefois, le nombre des fidèles diminua. Au bout de quelques années, la prêtresse partit, suivie peu après par le prêtre. Les auto-

(1) Voir note p. 38.

rités posèrent les scellés sur l'Ermitage. Il y a deux ans, la grand-route conduisant aux royaumes tributaires de l'Ouest fut détournée de Lan-fang pour passer plus au Nord, et la population étrangère de la ville décrut. Enfin l'année dernière, le magistrat décida de fermer définitivement l'Ermitage. C'est alors que le fameux orfèvre Chang mourut brusquement, sans laisser de descendance. Sa veuve, qui avait toujours été une fervente bouddhiste, se fit nonne et demanda à pouvoir occuper l'Ermitage. Celui-ci fut consacré à l'automne de l'Année du Serpent, le vingtième jour du neuvième mois. Voilà, c'est tout.

— Intéressant, n'est-ce pas, Ma Jong ? commenta le juge Ti. Mais cela n'éclaire nullement notre problème. J'avais espéré entendre parler d'un trésor enterré quelque part dans le temple.

Le juge soupira. Pendant un moment, le silence régna dans le petit cabinet surchauffé. Enfin Ma Jong repoussa son bonnet en arrière et dit :

— Puisque mon expédition dans le quartier nord-ouest ne nous a rien appris sur le meurtre, je pourrais peut-être aller traîner ce soir dans les environs de la porte de l'Est, Excellence ? Il y a énormément de gargotes et de tavernes populaires. Seng-san était une espèce de célébrité de la pègre, il ne sera donc pas difficile de trouver des gens qui l'aient bien connu et de les faire parler.

— Vas-y, répondit le juge. Il doit y avoir un chef des mendiants dans le secteur ; il sera certainement au courant de ce qui se passe dans les bas-fonds. Discute un peu avec lui, Ma Jong.

— Ensuite, en ce qui concerne la tête et le corps disparus, Excellence, je suis convaincu moi aussi qu'ils ont été enterrés dans le jardin du temple. Le chef des sbires et ses hommes l'ont passé au peigne fin, c'est vrai, mais mon expérience des « vertes forêts » m'a appris que, dans le noir, la forêt est très différente. Les sbires ont fort bien pu en plein jour passer à côté de quelque chose qui les aurait frappés dans l'obscurité. J'aimerais aller y faire un tour cette nuit, Excellence, pour voir les lieux du point de vue du meurtrier, pour ainsi dire.

Le juge hocha lentement la tête.

— Il y a de l'idée dans ce que tu racontes, Ma Jong. C'est d'accord, tente le coup ! J'y ai laissé deux sbires de garde, ils pourront te dégager un chemin. N'oublie pas de mettre d'épaisses jambières, il paraît qu'il y a des serpents venimeux. (Le juge se leva.) Bon, eh bien, je vais aller prendre un bain rapide et me changer pour le dîner d'anniversaire de ce soir.

Une demi-heure plus tard, le juge Ti faisait son entrée dans la salle à manger d'apparat, vêtu de sa robe de cérémonie de brocart vert broché et portant son haut bonnet noir. Il était parfaitement ponctuel. Sa Première Epouse, suivie de la Seconde et de la Troisième, venait d'introduire l'Abbesse dans le hall d'entrée.

Le juge se porta vivement à la rencontre de la religieuse. La saluant respectueusement, il lui souhaita la bienvenue en sa demeure. Elle s'inclina trois fois de suite, les mains croisées dans sa robe ample couleur safran. Les yeux modestement baissés, elle remercia en quelques mots bien choisis le juge pour son aimable invitation. Le magistrat la considéra avec curiosité, car jusqu'alors il n'avait fait qu'entr'apercevoir sa silhouette élancée tandis qu'elle traversait la cour pour gagner les appartements de ses épouses, auxquelles elle enseignait l'art de la décoration florale. Sachant qu'elle avait près de quarante ans, il lui trouva une certaine beauté, dans le genre froid et quelque peu austère. Sa tête et ses épaules étaient recouvertes d'une sorte de coiffe qui encadrait l'ovale du visage.

Ils prirent place tous les cinq dans un coin de la pièce sur des tabourets en bois de santal ouvragé, autour de la table de marbre carrée. Les six panneaux des portes en lattis avaient été ouverts pour laisser pénétrer l'air frais du soir. De leur place, ils jouissaient d'un joli point de vue sur le jardin, où les lanternes en papier aux couleurs gaies éclairaient le feuillage vert sombre. Tandis que deux servantes remplissaient leurs coupes de thé au jasmin, une troisième disposait sur la table des plats de fruits confits et de graines de pastèque séchées. Les quatre femmes attendaient respectueusement que le juge Ti entamât la conversation.

— Je dois avant tout prévenir Madame l'Abbesse, commença-t-il, que le dîner de ce soir n'est qu'une modeste réunion familiale. Je souhaite simplement que notre frugal repas ne vous semble pas trop dépourvu de goût.

— C'est la compagnie plutôt que le repas qui donne le ton d'une réunion, Excellence, remarqua gravement l'Abbesse. Je tiens à vous pré-

Le repas d'anniversaire

senter mes humbles excuses pour la conduite extrêmement grossière de ma servante cet après-midi. Elle aurait dû m'informer sur-le-champ de l'arrivée de Votre Excellence. C'est une fillette stupide et dépourvue d'éducation. Je l'ai punie, mais...

Elle leva sa petite main potelée en un geste d'impuissance résignée, en faisant tinter les perles de cristal du chapelet qu'elle portait au poignet.

— Cela n'a aucune importance ! répondit le juge avec conviction. Je voulais simplement savoir si vous n'aviez pas été dérangée par des vagabonds qui ont fait du grabuge cette nuit dans le temple abandonné. Votre servante m'a assuré que vous n'aviez rien vu ni entendu de particulier à l'Ermitage.

L'Abbesse leva la tête et dirigea ses grands yeux vagues sur le juge.

— Le temple a été profané par les rites hétérodoxes pratiqués autrefois par des fanatiques dévoyés. Mais le Bouddha, dans son infinie miséricorde, bénira aussi ces apostats. (Elle tendit sa main blanche vers sa tasse de thé et en but une gorgée.) Quant à ma servante, je me demande si elle vous a vraiment dit tout ce qu'elle savait. (Comme le juge sourcillait, elle poursuivit rapidement :) Je la soupçonne d'avoir un penchant à la luxure. Elle passe son temps à essayer de s'acoquiner avec les vagabonds qui hantent les bois. L'autre nuit, je l'ai surprise à bavarder gaiement avec un malheureux mendiant juste devant le portail. Je lui ai infligé une sévère correction, mais je doute que cela serve à quelque chose. Il ne me reste plus qu'à prier pour elle.

Et l'Abbesse se mit à égrener mécaniquement les perles de son chapelet de cristal.

— Vous ne devriez pas la garder ! s'exclama la Première Epouse, avant de se tourner vers la Seconde. Renseignez-vous donc auprès de vos relations parmi les Bouddhistes ; peut-être quelqu'un pourrait-il recommander à Madame l'Abbesse une jeune fille convenable !

La Seconde Epouse jeta un regard inquiet au juge. Elle s'était convertie au bouddhisme peu après leur arrivée à Lan-fang. L'éducation sommaire qui était la sienne avait contribué à ce qu'elle se laissât rapidement séduire par le dogme rudimentaire et le rituel pittoresque de cette religion. Si le juge ne s'y était pas opposé, elle savait néanmoins parfaitement que cette conversion ne l'enchantait guère. Mais le juge Ti pensait à autre chose en cet instant. De toute évidence, la servante cherchait à égayer la monotonie de sa vie à l'Ermitage en frayant avec les vagabonds ; elle pourrait donc bien être en mesure de fournir quelque précieux renseignement.

— J'ai donné l'ordre à mon lieutenant Ma Jong d'approfondir les recherches, cette nuit, dans le temple abandonné, annonça-t-il à l'Abbesse. Peut-être pourrait-il passer à l'Ermitage pour y interroger votre servante ?

— Il serait préférable qu'elle soit interrogée en ma présence, Excellence, répondit l'Abbesse d'un air pincé. Si elle se retrouve seule avec votre homme, elle serait capable de... euh... de le détourner de sa mission.

— Oui, bien sûr. Je vais... Ah! Voilà les enfants!

La nurse fit entrer les fils et la fille unique du juge Ti. Elle portait au bras le plus jeune des garçons, un vigoureux petit bonhomme de trois ans. Quand la Première Epouse les eut présentés à l'Abbesse, l'intendant vint annoncer que le repas était prêt.

Ils se dirigèrent vers la grande table ronde dressée à l'autre bout de la pièce. Le juge prit place au centre, juste devant l'autel en ébène sculptée, érigé contre le mur du fond. Le grand caractère signifiant « longue vie », qu'il avait tracé à midi, avait été suspendu au-dessus de la table. Il invita l'Abbesse à s'asseoir à sa droite et sa Première Epouse à sa gauche, tandis que la Seconde et la Troisième s'installaient de chaque côté. La Première Epouse demanda à la nurse de remmener les enfants dans leur chambre, mais le petit dernier s'était pris de passion pour les fleurs glissées dans le bandeau de sa mère et refusait obstinément de les lâcher. Elle autorisa donc la nurse à rester derrière sa chaise.

Alors qu'ils dégustaient les entrées froides, l'intendant apporta le premier plat chaud tandis que la plus âgée des servantes servait le vin. Le juge Ti leva sa coupe et porta un toast : le dîner commençait.

IX

Ma Jong fait fuir la clientèle
d'un débit de boissons ;
il découvre une tête de tigre
au fond d'un puits.

Au moment où le Juge Ti et ses épouses étaient en train de passer à table, Ma Jong se dirigeait vers le comptoir d'un petit marchand d'alcool, derrière le Temple du Dieu de la Guerre. Les deux coolies qui y étaient installés s'empressèrent de régler leurs consommations et disparurent. Le tenancier, un grand gaillard en veste déboutonnée qui laissait apparaître son torse nu et velu, décrocha l'unique lampe à huile qui éclairait son éventaire et la plaça vers le fond.

Ma Jong comprit son geste. Son bonnet noir d'officier du tribunal affolait les clients. Sortant de sa manche une poignée de sapèques qu'il déposa sur le comptoir, il commanda à boire. Comme le tenancier avançait la main, Ma Jong recouvrit prestement les sapèques de son large poing.

— Doucement, mon ami. Tu dois d'abord les gagner ! Il faut que je te parle de Seng-san, le gars qui a été tué la nuit dernière. Tu le connaissais ?

— Pour sûr ! C'est encore un bon client qui disparaît ! Et il était sur le point de devenir un client encore plus intéressant : il m'a dit la semaine dernière qu'il était sur un gros coup, un gros paquet d'argent !

— Un coup auquel était mêlé un étranger, non ?

— Oh non ! On ne peut pas dire que Seng-san était quelqu'un de très exigeant, mais il ne frayait pas avec ces maudits étrangers !

— Alors pour qui travaillait-il ? Il n'avait que des biceps et pas de cervelle ; il aurait été incapable de réussir un gros coup tout seul.

L'homme haussa les épaules.

— Ça sent son chantage à plein nez. Et pour ça, Seng-san se débrouillait parfaitement tout seul !

— Tu sais qui il faisait chanter ?

— Pas la moindre idée ! Seng-san était un sacré bavard, mais il n'a jamais rien dit sur ce boulot, sauf qu'il y avait un tas de fric à la clé.

— Où il habitait, ce salopard ?

— Un jour ici, un jour là. Il passait souvent la nuit dans le temple abandonné ces derniers temps. Je vous sers quelque chose ?

— Non merci. Peut-être que le gars qu'il faisait chanter habitait aussi dans le temple.

— Ça va pas, non ? Qui voudriez-vous faire chanter là-bas, je vous le demande un peu ? La dame blanche ? (Et il cracha par terre.)

— Le chef des mendiants est certainement au courant. Qui est-ce donc à l'heure actuelle ?

— Personne. C'est une sale ville pour les pauvres, ici, Monsieur. D'abord les séides de

Tsien Mo ont mis la patte sur toutes les affaires.
Maintenant c'est ce barbu de fils de... excusez-
moi, le magistrat actuel, je voulais dire, qui s'en
charge. Et rien ne lui échappe, rien du tout !
Grands dieux, c'est le vieux Chow qui vient de
passer ! Sans même se retourner... Ecoutez,
Monsieur, faites-moi plaisir, voulez-vous, et
partez. Vous allez me ruiner. Si vous voulez en
avoir pour votre argent, allez donc discuter avec
le vieux Roi des Mendiants.

Ma Jong fit glisser vers l'homme la ligature de
sapèques.

— Tu viens de me dire qu'il n'y en avait plus !

— C'est vrai, il n'y en a plus. Le Roi était un
client redoutable, dans le temps. Un véritable
géant, d'origine tartare, je crois. Il régnait en
maître sur les bas-fonds. Mais aujourd'hui, c'est
un vieillard, et son palpitant lui joue des tours. Il
habite dans une cave, quelque part par là. Merci
pour les sapèques, mais tâchez de ne pas revenir !

Ma Jong grommela quelque chose et partit en
pensant que le chantage pouvait fort bien avoir
été le mobile du double meurtre. L'objet caché
dans le temple était peut-être un paquet de
lettres compromettantes. La victime a tout
d'abord essayé de les récupérer ; puis, après
avoir échoué, elle a tué les deux maîtres chan-
teurs.

Ma Jong passa l'heure suivante dans quatre
tavernes. « Si seulement Tsiao Taï était avec
moi ! maugréa-t-il en quittant la dernière. C'est
beaucoup plus agréable de travailler en compagnie d'un ami avec qui parler. Je me demande ce

que peut bien fabriquer frère Tsiao à la capitale. Il a dû encore s'embringuer dans une lamentable histoire de cœur, je parie ! Bon, eh bien, j'ai bu des litres de tord-boyaux et je n'ai rien appris d'intéressant. Tout le monde s'accorde à dire que Seng-san était un affreux malfrat et qu'Ah-liou était son seul ami. Je n'attends pas grand-chose non plus de ce soi-disant Roi des Mendiants. Ce doit être un triste sire à l'heure qu'il est ; il vit misérablement en compagnie de celui qui fut autrefois son bras droit. Je devrais... »

Ma Jong se retourna. Un homme grand et mince venait de le dépasser. C'était le peintre Li Ko.

— Quel bon vent vous amène par ici, Monsieur Li ?

— Je commence à être inquiet pour Yang, mon assistant, Monsieur Ma. Il n'est toujours pas rentré. Il me prévenait toujours à l'avance quand il partait faire la noce. Je fais le tour des tavernes du quartier. Et vous, où allez-vous ?

— Au vieux temple sur la colline. Si vous ne retrouvez pas Yang, prévenez-moi. Le tribunal pourrait se charger de faire quelques vérifications de routine. A bientôt !

Ma Jong chemina jusqu'à la porte de l'Est, où il demanda aux gardes en faction de lui prêter une petite lampe-tempête. Puis il alla manger un morceau dans l'une des gargotes populaires le long de la grand-route, au-delà de la porte de la ville ; après quoi il se sentit parfaitement dispos pour entreprendre de gravir l'escalier qui menait au temple. Avec la tombée de la nuit, l'air s'était quelque peu rafraîchi. Toutefois, l'escalade le mit en nage.

— Je me demande bien pourquoi ils bâtissent toujours leurs maudits temples dans des endroits aussi escarpés ! maugréa-t-il. Pour être plus près du ciel, j'imagine !

Au moment où il s'avançait dans la clairière devant la triple porte du temple, deux hommes surgirent de derrière un cyprès, en faisant tournoyer leurs gourdins. Reconnaissant Ma Jong, ils le saluèrent et lui apprirent qu'il était le premier visiteur. Ma Jong constata avec satisfaction que l'un des deux était Fang, un jeune homme intelligent (1).

— Je vais aller faire un tour dans les parages, dit-il aux sbires. Restez où vous êtes. Si j'ai besoin de vous, je sifflerai. Si vous apercevez quelqu'un de suspect, vous le cueillez et vous me sifflez.

Ma Jong franchit le portail et examina un moment l'avant-cour. Elle avait l'air lugubre dans la lueur blafarde de la pleine lune.

« Quelle jungle, ce jardin ! se dit-il. Eh bien, procédons par ordre. Je vais commencer par aller inspecter la grande salle du temple ; ensuite, je me mettrai à la place du meurtrier, avec un cadavre et une tête coupée sur les bras ! »

En gravissant les quelques marches qui menaient à l'entrée principale, Ma Jong constata que depuis la visite du juge Ti, l'après-midi, le chef des sbires avait posé les scellés sur la porte à six vantaux. Il déchira la bande de papier et se

(1) Voir *le Mystère du labyrinthe*, col. 10/18, n° 1673.

mit à secouer vigoureusement la vieille porte voilée jusqu'à ce que l'un des panneaux cédât. Il était sur le point de pénétrer dans la salle obscure quand il se figea sur place : une porte se refermait doucement au fond de la pièce. Mais aussitôt tout redevint parfaitement silencieux. Retenant un juron, Ma Jong alluma la lanterne avec son briquet à amadou et entra en la brandissant bien haut. La lumière tomba sur les lourdes colonnes et l'autel massif, au fond. Il se dirigea vivement vers la petite porte de service, à gauche de l'autel, d'où le bruit avait semblé provenir, et l'ouvrit. Deux marches descendaient vers une courette étroite et pavée. Il n'y avait pas âme qui vive.

— Le chef des sbires aurait dû sceller cette porte aussi ! grommela-t-il. Mais j'ai probablement imaginé ce bruit.

Ma Jong huma l'air. Aussitôt tous ses sens se mirent en alerte. La nauséabonde odeur de décomposition qu'il avait sentie chez Tala planait dans la salle.

— Grands dieux ! Et si le cadavre et la tête étaient cachés là, dans cette salle ? Mon maître n'a pas dû la fouiller puisque les dalles n'ont pas été touchées et sont encore couvertes de boue. (Levant la lanterne au-dessus de sa tête, il examina les poutres.) Et dans cette niche, là au-dessus de l'entrée ? On pourrait y glisser un corps, avec une échelle. Le meurtrier en avait peut-être une. Il avait tout son temps, une nuit entière devant lui !

Ma Jong ouvrit les deux panneaux, au centre de la porte. Après les avoir maintenus dans cette position en les calant avec des pierres plates, il suspendit la lanterne à sa ceinture, s'agrippa au bord supérieur du panneau et se hissa en insérant ses pieds dans les trous du lattis. Debout les jambes écartées, les pieds posés sur chacun des panneaux, il pouvait tout juste scruter l'intérieur de la cavité obscure. Une petite boule noire lui vola dans la figure, manquant lui faire perdre l'équilibre.

— Satanées chauves-souris ! Il y a assez de place pour des milliers de ces petites bêtes, et pour deux cadavres également. Mais il n'y a ni cadavre, ni tête. Et ici, ça ne sent pas aussi mauvais qu'en bas.

Ma Jong redescendit et éteignit la lanterne. Posté dans l'encadrement de la porte, il examina l'épaisse végétation qui bordait le côté droit de la cour.

— Ce gros chêne là-bas, aux racines apparentes, doit être celui sous lequel notre cher Ah-liou a piqué un petit somme. Bon, alors je jette le cadavre sur mon épaule et je sors dans la cour. Quant à la tête coupée, je la mets dans mon foulard. Ou plutôt non, je confie ce précieux fardeau à mon comparse. Ensuite…

Ma Jong se tut et regarda fixement le sous-bois, un peu au-delà du chêne, puis s'essuya le front.

— J'aurais juré avoir vu passer une silhouette blanche ! Ç'aurait pu être une femme ; plutôt grande, dans une longue robe à traîne blanche. Courons-lui après !

Ma Jong traversa la cour en quelques enjambées. Mais de l'autre côté du chêne, il ne découvrit qu'un gros buisson de roses blanches et sauvages tout enchevêtré.

— Où le fantôme... commença-t-il, en s'avançant et en examinant les branchages cassés. (Après avoir précautionneusement écarté les branches basses, il s'aperçut qu'il se trouvait sur un ancien sentier et grimaça un sourire.) Oui, il y a un chemin par ici ! Il y en avait un, devrais-je dire. Il est complètement envahi par les herbes.

Ma Jong se mit à quatre pattes et progressa sous les branches. Sa connaissance de la forêt lui avait permis de reconnaître les traces de l'ancien chemin obstrué par la végétation. Il ne tarda pas à se relever et continua d'avancer en faisant le moins de bruit possible et en s'arrêtant de temps à autre, l'oreille aux aguets. Mais seul le chant des cigales ou le cri d'un animal nocturne troublaient le silence. Il alluma alors la lanterne et scruta les buissons. Certaines feuilles étaient maculées de taches sombres. Il était sur la bonne piste.

Le chemin abandonné sinuait entre les arbres jusqu'à une petite clairière, d'où partait un nouveau sentier.

— A mon avis, il doit ramener vers l'arrière du temple. Mais il faut que je continue sur la gauche.

Ma Jong huma l'air. L'odeur humide des feuilles décomposées était couverte par un parfum plus délicat.

— Des fleurs d'amandiers ! Il doit y en avoir dans le secteur...

Un petit peu plus loin, Ma Jong se retrouva

devant un vieux puits entouré de grands amandiers. Leurs fleurs blanches recouvraient les pierres moussues comme autant de flocons de neige. De l'autre côté du puits, au-delà du bosquet, se dressait un mur élevé. Un grand nombre de pierres s'étaient écroulées, ouvrant une brèche de plusieurs pieds de large. Un tas de briques cassées et de gros cailloux gisaient près du puits, envahi par les herbes.

Ma Jong leva la tête. Entre les branches des arbres, il distingua la tour de gauche du temple abandonné, ce qui lui permit de se repérer.

— Ce vieux puits doit se trouver dans le coin le plus reculé de ce maudit jardin. Bon, où a bien pu passer mon gentil fantôme ? Il a disparu soit par le trou du mur, soit par le sentier que je viens de voir. De toute façon, il n'est plus là maintenant, et c'est déjà ça !

Ma Jong se parlait tout haut car il était loin de se sentir très à l'aise. Les phénomènes surnaturels étaient la seule chose au monde dont il eût réellement peur. Il scruta les arbres plongés dans les ténèbres ; rien ne bougeait. Haussant les épaules, il se tourna vers le puits.

— Il faut dire que c'est l'endroit idéal pour se débarrasser de cadavres encombrants. Tiens, des taches sombres sur la margelle ! Et là, le long des briques ! Rouge foncé... C'est très profond, remarqua-t-il en se penchant au-dessus du puits. Plus de vingt pieds, à mon avis. Les parois sont recouvertes de végétation... Cette corde est complètement pourrie, mais ma foi elle supportera bien encore le poids de ma lanterne.

Ma Jong attacha l'extrémité de la corde à

Ma Jong fait une découverte

l'anse de la lanterne et la fit descendre dans le puits. Sous la masse de lierre, de grosses lianes s'étaient frayé un chemin dans les anfractuosités des vieilles briques. De grands pans de maçonnerie s'étaient effondrés par endroits. Ma Jong examina avec attention le fond du puits.

— Rien que des pierres et des hautes herbes ! maugréa-t-il, déçu. Pourtant, le cadavre doit certainement s'y trouver.

Ramenant prestement la lanterne à lui, il la raccrocha à sa ceinture, puis il enjamba le rebord, s'agrippa fermement à une grosse liane et chercha des pieds un point d'appui dans le mur. Ma Jong était un athlète émérite, mais il devait néanmoins faire très attention à tous ses mouvements, car plus d'une fois des briques se descellèrent quand il posa le pied dessus. Enfin, il descendit assez profond pour pouvoir se laisser choir dans les herbes. A peine eut-il touché le fond qu'il fit un bond de côté : son pied avait heurté quelque chose de mou. Il fit un pas en avant et son visage s'éclaira : c'était une jambe d'homme. Ecartant les herbes, il découvrit le buste nu et décapité d'une espèce de géant ; un grand tatouage s'étalait sur son dos.

Ma Jong s'accroupit et éclaira le complexe motif qui ornait le dos de l'homme. C'était un tatouage vert cru, bleu et jaune.

« Ça a dû lui coûter joliment cher ! pensa-t-il. La grande tête de tigre entre les épaules devait être destinée à le protéger contre les coups dans le dos. Mais apparemment cette fois-ci, ça n'a pas marché : il a été tué d'un coup de couteau juste sous l'omoplate gauche. C'est Seng-san ;

regarde-moi ces muscles des bras et des jambes! Mais où est la tête de l'autre gars? »

Ma Jong fouilla l'espace circulaire limité qui l'entourait et ne découvrit qu'un ballot de vêtements bleus. A un endroit, un large pan de maçonnerie s'était écroulé, faisant dans le mur de brique une sorte de petite niche d'environ quatre pieds de haut sur trois de profondeur. Il se baissa et éclaira la cavité. Un gros crapaud le fixait de ses yeux ronds et proéminents.

— Donc le meurtrier est rentré chez lui avec la tête, conclut-il en haussant les épaules. Les sbires vont aller chercher des cordes et une civière et... Grands dieux!

Un énorme morceau de maçonnerie s'écroula au fond du puits, manquant d'un cheveu son épaule gauche et tomba sur le cadavre en faisant un bruit sourd. Rapide comme l'éclair, Ma Jong jeta sa lanterne et se recroquevilla dans la niche. Les bras serrés autour de ses jambes ramassées, le menton contre les genoux, il tenait tout juste dans le trou.

D'autres pans de maçonnerie tombèrent les uns après les autres.

— Arrête, espèce d'abruti! hurla-t-il. Ah... mon épaule... Arrête!

Il émit une série de hurlements de terreur suivis d'un cri déchirant qui se transforma en gémissements sourds. Des blocs de briques tombèrent de nouveau, ainsi qu'une volée de grosses pierres moussues. L'une d'elles rebondit contre le mur et heurta son pied gauche.

122

Ma Jong retint à grand-peine un cri de douleur. Il y eut encore une chute de briques, et enfin tout redevint silencieux.

Ma Jong resta dans cette position inconfortable le plus longtemps possible, l'oreille aux aguets. Comme il n'entendait plus rien, il se glissa hors de son abri. Massant ses jambes endolories, il scruta l'ouverture du puits. Une fois convaincu qu'il n'avait plus rien à craindre, il reprit sa lanterne et l'alluma.

Le cadavre de Seng-san était enfoui sous un tas de cailloux de plusieurs pieds de haut.

— On va avoir du mal à te sortir de là, mon vieux, maugréa-t-il. En tout cas pour l'instant, ça va me permettre de ressortir plus facilement du puits. Après quoi, je me mettrai à la recherche de l'âme charitable qui t'a si joliment arrangé.

X

*Le dos d'un cadavre se montre éloquent ;
une cuvette d'eau claire fait elle aussi
de surprenantes révélations.*

Le juge Ti examinait attentivement le cadavre décapité de Seng-san sur la table à tréteaux, à la morgue. Le magistrat était en robe de nuit, les cheveux relevés par un morceau de tissu. Les vêtements sales, déchirés, Ma Jong se tenait de l'autre côté de la table, un grand chandelier à la main.

Il était une heure après minuit. L'Abbesse était rentrée à l'Ermitage dès la fin du dîner. Après quoi le juge avait fait plusieurs parties de dominos avec ses trois épouses ; puis il s'était retiré en compagnie de sa Première dans la chambre de laquelle ils avaient bu encore quelques tasses de thé en évoquant agréablement leurs vingt années de vie commune. Enfin ils étaient allés se coucher. C'était son intendant, venu frapper avec insistance à sa porte, qui avait réveillé le juge. Ma Jong était de retour et désirait de toute urgence parler à son maître. Il le mena aussitôt à la morgue et lui conta la façon dont il avait fait cette macabre découverte.

Après un long silence, le juge releva la tête.

— Ainsi voilà pourquoi le cou de Seng-san ne portait aucune trace de strangulation, remarqua-t-il. Il a été tué par un coup de couteau dans le dos. C'est l'autre victime qui a été étranglée. As-tu une idée de la manière dont ton agresseur présumé a pu te suivre, Ma Jong ?

— Notre imbécile de chef des sbires a oublié de signaler au jeune Fang et à l'autre homme la seconde entrée du temple, par-derrière. Et je suis aussi bête que lui, ajouta-t-il amèrement, car j'aurais dû regarder derrière le mur avant de descendre dans le puits. Il y a une brèche, et c'est de là que le gredin a dû suivre tous mes mouvements. Il se trouvait probablement dans la grande salle quand je suis entré dans le temple, car il me semble avoir entendu se refermer la petite porte près de l'autel ; mais je n'en suis pas absolument sûr. Pendant que les sbires étaient occupés à sortir le corps du puits, j'ai inspecté l'arrière du bâtiment et découvert un sentier qui longe le mur extérieur du jardin. Le meurtrier l'a emprunté jusqu'à la brèche. Il n'a pas pu me suivre dans le jardin, je m'en serais certainement rendu compte, cela ne fait aucun doute.

— Tu as dit que tu avais vu une silhouette blanche.

— Euh... eh bien... commença Ma Jong embarrassé, il me semble finalement que j'ai été abusé par la lumière de la lune, Noble Juge. Les fantômes ne s'amusent pas à jeter des pierres !

Penché sur le cadavre, le juge Ti examina le tatouage sophistiqué.

— Les briques que ton agresseur a lancées lui

ont bien abîmé le dos, remarqua-t-il. Seng-san était visiblement très superstitieux, comme la plupart des individus de son acabit. Sous la tête de tigre, il s'est fait tatouer un couple de canards, symbole de la fidélité en amour. Il a fait écrire son nom sous l'un des deux, et sous l'autre... Juste ciel ! Eclaire-moi, Ma Jong ! (Le juge désigna un dessin bleu, plus petit, qui traversait le bas du dos.) Regarde, c'est la silhouette du temple abandonné ! Dommage que la peau ait été arrachée par une brique. Mais on peut encore distinguer les quatre caractères tatoués au-dessous : « Beaucoup d'or et beaucoup de bonheur ».

Le juge Ti se redressa.

— A présent, Ma Jong, nous savons pourquoi l'assassin a été obligé d'échanger les cadavres ! Le mobile du crime était tatoué sur le dos de Seng-san ! Ce dernier était à la recherche de l'or caché dans le temple et le meurtrier également.

— Un type que j'ai interrogé cette nuit dans les faubourgs m'a dit que d'après lui Seng-san faisait chanter quelqu'un, Excellence. (Ma Jong exposa l'hypothèse selon laquelle des papiers compromettants auraient pu être cachés dans le temple, puis conclut :) En ce cas, l'« or » ne serait pas un trésor caché mais bien plutôt l'argent que Seng-san espérait extorquer à sa victime.

— C'est une possibilité que nous ne devons pas négliger. Quelle affaire compliquée, Ma Jong ! Au moins, on peut écarter l'hypothèse qu'un Barbare ait été mêlé au meurtre. Car nous savons maintenant que Seng-San a été tué d'un coup de couteau dans le dos et que l'autre a été étranglé. Les décapiter une fois morts ne requérait aucune habileté particulière dans le maniement d'une hache tartare. (Le juge réfléchit un instant avant d'ajouter :) Il est étrange que l'assassin n'ait pas également jeté dans le puits la tête de l'autre victime. Tu n'y as trouvé qu'un ballot de vêtements, n'est-ce pas ?

— Oui, Excellence. Je les ai posés là, dans le coin.

— Très bien, nous allons les emporter dans mon cabinet. Ferme la porte derrière toi, Ma Jong.

Les pas des deux hommes résonnèrent dans le silence du yamen. En chemin, le juge demanda à son lieutenant :

— Qui est au courant de ta découverte du cadavre, Ma Jong ?

— Personne à part Fang et l'autre sbire, Excellence. Je leur ai expliqué qu'il fallait garder le secret sur cette découverte. Nous avons transporté le corps jusqu'ici roulé dans une couverture et dit aux gardes qu'il s'agissait des restes d'un vagabond mort dans les bois.

— Parfait. Et plus longtemps le meurtrier croira t'avoir tué, mieux cela vaudra. Fang et toi incinérerez demain matin à l'aube le corps de Seng-san ainsi que sa tête. Il n'était, semble-t-il, qu'une franche crapule, mais il mérite néanmoins d'entrer dans l'autre monde dans toute son intégrité.

Arrivé dans son cabinet de travail, le juge Ti se laissa tomber lourdement dans son fauteuil.

Son lieutenant alluma à sa chandelle celle qui se trouvait sur le bureau et s'assit à son tour.

— Au fait, Excellence, en entrant cette nuit dans la grande salle du temple, j'ai senti une abominable odeur qui m'a rappelé la puanteur qui régnait chez l'horrible Tala.

— Cela ne m'a pas frappé cet après-midi. Il s'agit peut-être d'une chauve-souris morte ; les lieux en sont infestés. A propos de cette sorcière, ce soir au cours du dîner, le chef des sbires est venu me dire que Tala avait disparu, comme je le craignais. Les sbires ont fouillé tout le quartier, en vain. Les gens se sont montrés particulièrement coopératifs ; visiblement, ils la redoutent et la haïssent, et seraient ravis que nous l'arrêtions. Tu connais les Barbares ! Tant que leurs sorcières voient juste, ils les vénèrent comme des déesses. Mais dès qu'elles se trompent, ils deviennent impitoyables. Les Tartares du quartier aimeraient bien tuer Tala, s'ils en avaient le courage. Regarde donc s'il ne reste pas un peu de thé chaud dans la théière, veux-tu ?

Tandis que Ma Jong servait le thé, le juge Ti poursuivit :

— Lors du dîner, l'Abbesse m'a dit que sa servante est une petite dévergondée qui court après les vagabonds. Tu devrais aller la voir et la faire parler, Ma Jong. Mais que l'Abbesse n'en sache rien surtout, car elle m'a dit qu'elle voulait assister à l'interrogatoire. Il est clair qu'en sa présence la fille ne pipera mot. (Le juge reposa sa tasse et réprima un bâillement.) Bon, voyons un peu ces vêtements.

129

Ma Jong défit le ballot. Il posa sur le dossier de sa chaise un pantalon et une veste bleue toute propre dont il palpa les manches, puis il examina toutes les coutures.

— Rien du tout, Noble Juge. L'assassin a pris ses précautions.

Le juge Ti contemplait fixement les habits en tiraillant ses favoris, quand il releva brusquement la tête.

— Tu m'as bien dit que Li recherchait son assistant Yang qui a disparu, n'est-ce pas ? Et le tailleur t'a confié que ce Yang fréquente des voyous et qu'il est un bon à rien ? Par ailleurs, Ah-liou nous a appris que Seng-san préparait un coup avec un individu grand, bien habillé, en bleu, qui avait l'air d'un employé. On a une chance sur mille, bien sûr, mais ne se pourrait-il pas que notre mystérieuse victime fût tout simplement cet assistant introuvable ?

— Bon, alors il faudrait convoquer Li Ko, articula lentement Ma Jong. Les peintres sont observateurs ; il pourrait reconnaître la forme des mains, ou la silhouette générale et...

Le juge Ti leva la main.

— Non, je préfère tenir Li à l'écart de tout cela, tant que l'énigme du coffret d'ébène n'est pas résolue. Remplis d'eau claire à ras bord la cuvette qui se trouve sur la tablette murale, Ma Jong !

Dès que son lieutenant, interloqué, se fut exécuté, le juge Ti lui ordonna :

— Pose-la devant moi. Parfait. Maintenant, prends cette veste et bats-la avec ma règle au-dessus de la cuvette !

130

Comme Ma Jong se mettait à l'œuvre, le juge rapprocha la chandelle et examina attentivement la poussière qui tombait dans l'eau. Au bout d'un moment, il leva la main.

— Cela suffit. Maintenant, le pantalon !

Quand Ma Jong l'eut vigoureusement frappé avec la longue règle en bois, le juge déclara :

— Très bien. Voyons voir !

Penché au-dessus de la cuvette, il scruta de très près la surface de l'eau.

— Oui, fit-il d'un air satisfait en se redressant. Il s'agissait bel et bien de Yang ! Regarde, ces zones grises qui flottent à la surface ne sont que de la poussière ordinaire. Mais vois-tu ces minuscules particules tombées au fond ? Un tout petit nuage rouge s'est formé ici, à droite, et là, suis mon doigt, on distingue une teinte jaune, mêlée de bleu. Ce sont des particules de ces pigments en poudre qu'utilisent les peintres. Elles se sont fixées sur les vêtements de Yang quand il nettoyait la table, dans l'atelier de Li. Nous progressons, Ma Jong !

Le juge se leva et se mit à arpenter la pièce. Il n'avait plus du tout sommeil. Ma Jong agita la cuvette avec un sourire ravi. D'autres petits nuages de couleur se formèrent dans l'eau.

Le magistrat s'arrêta. Les bras croisés dans ses manches, il reprit :

— Puisque ce coup d'essai s'est révélé un coup de maître, Ma Jong, je vais en tenter un second, quant au mobile du double meurtre. Je ne crois pas que la thèse du chantage tienne longtemps, en tout cas pas précisément telle que tu l'imagines. Toutefois si nous prenons le mot

« or », tatoué sur le dos de Seng-san, au pied de la lettre, il s'agit évidemment d'un monceau d'or caché dans le temple. Pourtant, le sergent Hong a épluché avec le plus grand soin toutes les archives concernant l'histoire du temple, sans découvrir le moindre indice laissant supposer qu'un trésor y aurait été enterré à un moment quelconque. Et quand bien même ce trésor aurait-il existé, les sbires l'auraient découvert le jour où les autorités ont fait vider les lieux. Fais-leur confiance pour avoir dûment interrogé les religieux et passé toute la propriété au peigne fin !

Le juge Ti retourna s'asseoir.

— Ma seconde hypothèse, Ma Jong, est la suivante : ils cherchent à mettre la main sur l'or du trésorier impérial, cinquante gros lingots d'or.

— Mais ce vol remonte à l'année dernière, Noble Juge !

— C'est exact. Cependant, le voleur a dû se tenir tranquille un bon moment, en attendant que les autorités aient abandonné leurs recherches. Imagine qu'il se soit contenté de dire à ses complices, ou à son commanditaire, qu'il avait caché l'or dans le temple, sans lui révéler l'endroit précis ; et qu'il soit mort avant qu'ils aient retrouvé le trésor ! Ils seraient dans le plus grand embarras, contraints de mettre sens dessus dessous non seulement le temple, mais toute la propriété attenante. Yang et Seng-san, ensemble ou séparément, les ont pris sur le fait. Ils ont commencé par les faire chanter — voilà où ta théorie intervient, Ma Jong. Mais

Yang et Seng-san ont sous-estimé leurs adversaires, et ils ont été assassinés.

Ma Jong opina vivement du chef.

— Je crois que vous avez touché juste, Excellence. On peut emballer cinquante lingots d'or de toutes sortes de façons : dans un gros paquet carré, dans un paquet plat et long, en plusieurs petits paquets, etc. C'est ce qui expliquerait pourquoi nos larrons ont sondé aussi bien les sols des cellules que les boiseries des tours.

— Exactement. Et l'or est encore là, Ma Jong ! Car si le ou les meurtriers, ou Yang et Seng-san, l'avaient trouvé, ils n'auraient pas été contraints d'intervertir les cadavres. Ils auraient filé avec l'or aussitôt leurs crimes commis ; ils n'auraient eu aucun besoin de nous empêcher de découvrir l'indice du tatouage. De même qu'ils ne seraient pas revenus cette nuit dans le temple, ni n'auraient essayé de te tuer. L'or se trouve donc toujours quelque part dans ce temple, et c'est à nous de le trouver ! Nous y retournerons demain matin, Ma Jong. A présent, allons nous coucher !

Un père demande au Juge Ti
des nouvelles de sa fille ;
une belle-mère rencontre
la Troisième Epouse du magistrat.

Le lendemain matin à l'aube, Ma Jong et le jeune sbire Fang incinérèrent le corps et la tête de Seng-san dans le four en brique, derrière la prison. Après quoi Ma Jong prit un petit déjeuner dans le corps de garde en compagnie du sergent Hong, auquel il fit un récit circonstancié de son aventure de la veille. Puis ils se rendirent ensemble dans le cabinet de travail du juge Ti.

Le magistrat résuma brièvement ses conclusions à l'intention du sergent Hong.

— Nous avons donc un double objectif à atteindre, conclut-il : découvrir l'or et nous emparer du meurtrier. Nous allons nous rendre au temple ce matin avec... Oui, entrez !

Le chef des sbires apparut et souhaita le bonjour au juge avant d'exposer le motif de sa présence.

— Le préfet à la retraite, l'Honorable Monsieur Wou, désire voir Votre Excellence pour une affaire pressante. Monsieur Li Maï l'accompagne.

— L'ancien préfet Wou ? s'étonna le juge

avec humeur. Ah oui, je me souviens ! Je l'ai croisé une ou deux fois ici lors de cérémonies officielles ; un homme maigre, un peu voûté, non ? (Devant l'acquiescement du chef des sbires, le juge reprit :) C'est un vieux monsieur très distingué. Fonctionnaire honnête, diligent et scrupuleux, sa carrière a été interrompue prématurément à la suite d'une fâcheuse histoire. Son oncle a fait faillite, et Wou insista pour payer toutes les dettes, alors que rien ne l'y obligeait légalement. Il s'y est presque ruiné, car, malgré la mort de son oncle peu de temps après, Wou ne récupéra jamais la moindre sapèque. Il présenta sa démission, quitta sa ville natale et s'installa ici parce que le niveau de vie y est moins élevé que dans les grandes villes et qu'on y a moins d'obligations mondaines. Qui l'accompagne ? Li Maï, as-tu dit ?

— Oui, Noble Juge. Monsieur Li Maï possède une petite boutique d'or et d'argent dans le quartier Est, où il se livre également à quelques opérations financières. C'est un ami de l'Honorable Wou.

— Li Maï est le frère du peintre Li Ko, Excellence, précisa Ma Jong.

Le juge Ti se leva en poussant un soupir.

— Bon, eh bien, allons recevoir nos hôtes. Fais-les entrer dans la salle de réception, pendant ce temps, je vais aller me changer.

Ma Jong aida le juge à passer sa robe officielle de brocart vert. Un préfet à la retraite devait encore être reçu avec les honneurs dus à son rang.

— La visite de Wou tombe on ne peut plus

136

mal, remarqua le juge Ti en ajustant sa coiffe aux ailes empesées ; mais avec son passé de fonctionnaire, il saura du moins exposer son affaire avec clarté et concision !

Tout en traversant la cour centrale en compagnie de Ma Jong, le juge regarda le ciel. La chaleur était moins pénible que la veille ; la journée promettait d'être agréable. Ils gravirent les degrés de marbre qui conduisaient à l'entrée principale de la salle de réception, bâtie sur une plate-forme surélevée. Le sergent Hong, qui les attendait près des colonnes de laque rouge, introduisit le juge Ti.

Les deux hommes, assis à la table à thé, se levèrent précipitamment en voyant entrer le juge. Le plus âgé s'avança et salua profondément le magistrat. Il avait un long visage émacié, orné d'un petit bouc pointu et d'une moustache grise tombante ; il portait une longue robe bleu foncé agrémentée d'un motif floral brodé au fil d'or, et un haut bonnet carré de gaze noire rehaussé d'une pierre de jade vert sur le devant. Tout en adressant à son hôte les formules de politesse d'usage, le juge observa à la dérobée l'individu qui se tenait derrière lui. De haute et puissante stature, il avait un visage rond et pâle, de gros yeux aux paupières tombantes, une moustache noire comme le jais et une toute petite barbiche. Il portait la robe grise et le petit bonnet des commerçants.

Le juge pria le préfet de se rasseoir. Quant à lui, il prit place en face de son honorable hôte. Le banquier resta debout, derrière la chaise du préfet. Ma Jong et le sergent Hong s'installèrent sur des tabourets bas, un peu à l'écart.

Quand un domestique eut servi le thé, le juge Ti se carra dans son fauteuil et demanda jovialement :

— Eh bien, cher et estimé collègue, que puis-je faire pour vous à cette heure matinale ?

Le vieux monsieur contempla le juge d'un air sombre.

— Je suis venu pour avoir des nouvelles de ma fille, Noble Juge. (Devant l'incompréhension patente du magistrat, il ajouta avec impatience :) Ayant affiché cette proclamation hier soir, vous devez avoir des nouvelles de Jade, ce me semble...

Le juge Ti se leva et versa au préfet une nouvelle tasse de thé.

— Avant de poursuivre cette conversation, Monsieur, puis-je vous demander à quel titre ce monsieur vous accompagne ?

— Naturellement. Un mois avant la disparition de ma fille, je l'avais promise en mariage à Monsieur Li. Il ne s'est toujours pas marié depuis et j'estime qu'il a droit à la vérité.

— Je comprends. (Le juge Ti sortit un éventail de sa manche et commença à s'éventer.) Tout cela s'est produit l'année dernière, avant mon arrivée à Lan-fang, dit le juge au bout d'un moment. Dans la mesure où je n'ai que peu de renseignements fiables sur la question, je vous saurais gré de m'exposer brièvement les circonstances de la disparition

138

de votre fille. Je n'ai pas réussi à trouver d'éléments utilisables dans les archives, voyez-vous.

— Jade est l'unique enfant que m'ait donné ma Première Epouse, morte il y a trois ans. C'est une fille plutôt intelligente, mais extrêmement têtue. Comme elle approchait de ses dix-huit ans, je lui ai choisi Monsieur Li Maï pour futur mari. Je dois préciser que Monsieur Li m'avait conseillé pour quelques opérations financières, et je l'ai trouvé honnête et d'excellente éducation. Par ailleurs, nous sommes originaires du même district, au nord du pays. Ma fille approuva donc mon choix. Mais malheureusement, j'avais engagé comme secrétaire un jeune candidat, nommé Yang Mou-té. Il est de la région, très correct, et m'avait été chaleureusement recommandé. Hélas, mon âge avancé me fait apparemment perdre tout discernement. Yang se révéla être un vaurien : derrière mon dos, il fit des avances à ma fille.

Le banquier se pencha pour dire quelque chose au préfet, mais le vieux monsieur secoua vigoureusement la tête.

— Gardez votre calme, Li, et laissez-moi raconter cela comme je l'entends ! Ma fille ne connaît rien à la vie, et Yang a réussi à gagner son affection. La nuit du dixième jour du neuvième mois, je lui ai dit que je devais aller consulter le lendemain un devin pour connaître le jour propice à son mariage avec Monsieur Li. Figurez-vous ma stupéfaction quand elle me répondit froidement qu'elle n'épouserait pas Li parce qu'elle était amoureuse de Yang ! J'ai aussitôt fait appeler le gredin, mais il était sorti, et j'ai parlé très durement à ma fille, très durement, je le reconnais. Qui ne l'aurait fait, dans une situation aussi scandaleuse ? Alors elle s'est levée et s'est enfuie de la maison.

Le préfet but une gorgée de thé en hochant la tête.

— Ensuite, j'ai fait une grave erreur, Excellence. J'ai cru que Jade s'était réfugiée chez sa tante, une vieille dame qui habite derrière chez nous. C'est la sœur de ma Première Epouse, et Jade a beaucoup d'affection pour elle. J'ai donc pensé que ma fille était allée se faire consoler et qu'elle reviendrait le lendemain matin s'excuser auprès de moi. Comme elle n'était toujours pas rentrée vers midi, j'ai envoyé mon intendant la chercher. On lui dit que l'on n'avait pas vu Jade. Je fis venir Yang, mais cette crapule jura ne rien savoir de sa disparition et m'affirma effrontément qu'il n'avait jamais fait qu'échanger quelques mots avec ma fille. Je le traitai de menteur et fis procéder à une enquête. Yang avait effectivement passé la nuit dans une maison de rendez-vous. Je l'ai néanmoins renvoyé, cela va de soi. Puis j'ai appelé Monsieur Li, et nous nous sommes livrés sans compter à d'autres recherches. Mais Jade avait disparu sans laisser la moindre trace. La conclusion s'imposait : elle avait été enlevée en se rendant chez sa tante.

— Pourquoi n'en avez-vous pas immédiatement informé le tribunal, Monsieur ? demanda le juge. Dans le cas d'une disparition, les autorités peuvent prendre un certain nombre de mesures de routine très efficaces et...

— Tout d'abord, coupa Wou, votre prédécesseur était un âne, Excellence ; couard de surcroît, car il n'a jamais osé lever le petit doigt contre Tsien Mo, ce traître odieux qui avait usurpé le pouvoir (1). (Le préfet tirailla sa barbiche avec humeur.) Ensuite, je suis très attaché aux traditions, Noble Juge, et l'honneur de ma famille est primordial à mes yeux. Je ne voulais pas que les gens apprissent l'enlèvement de ma fille. Monsieur Li partageait entièrement ce point de vue.

— Je désire l'épouser, Noble Juge, déclara calmement l'homme, quoi qu'il ait pu lui arriver.

— J'apprécie votre loyauté, Monsieur Li, répondit sèchement le juge Ti. Mais vous avez mal conseillé Monsieur Wou. La seule chose à faire eût été de déclarer au plus vite la disparition.

L'ancien préfet ne put réprimer un geste d'impatience à cette remarque.

— Bon, à présent que savez-vous de ma fille, Excellence ? Est-elle toujours vivante ?

Le juge Ti reglissa l'éventail dans sa manche d'où il sortit une liasse de papiers. Il les feuilleta jusqu'au moment où il retrouva ses notes concernant la visite de Ma Jong à la sorcière.

— Votre fille est-elle bien née le quatrième jour du cinquième mois de l'Année du Rat ? demanda le juge en redressant la tête.

— Exactement, Excellence. Sa date de naissance figure dans les registres de ce tribunal.

— C'est juste. Eh bien, à mon grand regret,

(1) Voir *le Mystère du labyrinthe,* coll. 10/18, n° 1673.

je ne peux que vous avouer que l'information que l'on m'a transmise concernant votre fille est très vague. Au point où nous en sommes, je ne peux rien vous dire sans prendre le risque soit de vous affliger inutilement, soit d'entretenir en vous de vains espoirs. C'est tout ce que je puis dire pour le moment.

— Faites comme bon vous semblera, Excellence, répondit Wou avec raideur. Toutefois, j'ai une modeste faveur à vous demander : si jamais votre enquête vous amène à prendre des mesures d'ordre judiciaire, je vous serais extrêmement reconnaissant de bien vouloir m'en aviser auparavant.

Le juge Ti but une gorgée de thé en se demandant ce qu'entendait son hôte. Une telle requête était parfaitement superflue.

— Je l'aurais fait de toute manière, Monsieur, dit-il en reposant sa tasse. Je...

Le préfet se leva brusquement.

— Je vous remercie, Excellence. Venez, Li !

Le juge s'était levé à son tour et raccompagnait ses hôtes à la porte.

— Il paraît que vous avez un frère peintre et non dénué de talent, Monsieur Li.

— Je ne connais rien à l'art, Noble Juge, répliqua sèchement Li Maï, d'une voix métallique.

Le sergent Hong reconduisit les visiteurs dans la cour.

— Alors finalement cette Jade existe bel et bien ! s'exclama impétueusement Ma Jong. La sorcière l'a sûrement rencontrée puisque la date de naissance qu'elle m'a donnée est exacte !

Donc le message déposé dans le coffret d'ébène est certainement authentique, Excellence ! Grands dieux, il faut immédiatement...

— Pas si vite, Ma Jong ! repartit le juge en repoussant en arrière son bonnet noir avant d'essuyer son front moite. Certaines choses me paraissent encore étranges. Il aurait été impoli d'exiger des détails du préfet, mais... Qu'est-ce encore ?

Le juge regarda d'un air surpris le vieillard qui venait d'entrer dans son cabinet, l'air bouleversé.

— Il vient de se produire quelque chose d'insolite dans les appartements des femmes, Excellence, dit l'intendant. C'est votre Première Epouse qui m'envoie.

— Eh bien, parle !

— Votre Troisième Epouse vient à l'instant d'apporter à votre Première une enveloppe cachetée, lui disant qu'une femme voilée s'était présentée à la porte de service, dans une litière fermée. Après avoir demandé aux servantes laquelle de vos épouses était la plus jeune et appris que c'était votre Troisième, elle a sollicité un entretien particulier avec cette dernière. Comme la servante s'enquérait de son nom, elle lui a remis cette enveloppe cachetée. La Première Epouse l'a ouverte et y a trouvé la carte de visite de Madame Wou, la femme de l'ancien préfet. Madame m'a aussitôt envoyé chercher les instructions de Votre Excellence.

Le juge leva les sourcils.

— Je n'aime pas du tout voir mes épouses mêlées aux affaires que je suis en train de traiter, confia-t-il à Ma Jong, l'air contrarié. Par ailleurs, j'ai l'intime conviction que Monsieur Wou ne m'a pas tout dit. Eh bien, je vais aller en conférer avec ma Première Epouse. Dis au sergent Hong que nous nous retrouverons plus tard dans mon cabinet.

XII

*Le juge Ti épie deux femmes
derrière un rideau de gaze ;
une tasse se brise
et le vernis craque.*

Le juge Ti trouva sa Troisième et sa Première Epouse dans le boudoir de celle-ci. Il les mit brièvement au courant de son entretien avec le vieux préfet.

— La visite de Madame Wou doit avoir un rapport avec la disparition de Mademoiselle Jade. J'aimerais bien la recevoir personnellement, mais elle ne me dira rien, bien sûr. Il faudrait pourtant que je la voie pour me faire une idée du personnage...

Le juge Ti tiraillait d'un air maussade ses favoris, quand soudain sa Première Epouse s'adressa à la Troisième :

— Ne pourrais-tu pas recevoir Madame Wou dans une pièce de ton appartement où notre époux pourrait la voir et l'entendre à son insu ?

Respectueux des traditions ancestrales, le juge Ti avait attribué à chacune de ses épouses un appartement distinct, pourvu d'une cuisine et de leurs domestiques personnelles. Si la Seconde et la Troisième Epouse ne se gênaient aucunement pour entrer chez la Première, logée dans le bâtiment principal de la résidence, en revanche celle-ci ne pénétrait jamais chez elles. Le juge s'était strictement conformé à cette coutume éprouvée, sachant qu'elle offrait la meilleure garantie d'un foyer paisible et harmonieux.

— Oui... répondit mollement la Troisième Epouse, la porte-lune qui sépare ma chambre du salon est pourvue d'un rideau de fine gaze. Si je fais asseoir mon invitée près de la fenêtre, en vous installant dans la chambre derrière le rideau, vous...

— Cela ira très bien ! s'exclama le juge. Allons-y !

— Si vous n'y voyez pas d'inconvénient, poursuivit la Troisième Epouse, je vais vous faire passer par la porte de service pour que les domestiques ne vous voient pas entrer. Elles seraient capables par inadvertance d'annoncer votre présence à Madame Wou.

— Excellente idée, approuva la Première Epouse. Bonne chance !

Le juge suivit sa Troisième Epouse dans l'allée du jardin qui sinuait jusqu'à son appartement, situé à l'écart vers l'arrière de la résidence. Comme elle ouvrait la porte du salon pour l'y introduire, il lui dit dans un souffle :

— Tâchez de la faire un peu parler de Mademoiselle Jade. Elle est la Seconde Epouse de Monsieur Wou.

— Tout cela est très amusant ! murmura-t-elle en pressant la main de son époux. Regardez, je vais la faire asseoir sur cette chaise, face à la porte-lune.

Le juge entra dans la chambre en prenant soin

de refermer convenablement le rideau de gaze derrière lui. La pièce était plongée dans la pénombre, car les persiennes avaient été fermées pour empêcher la chaleur de pénétrer. Assis au bord du grand lit, il entendit son épouse frapper dans les mains puis dire à sa servante qu'elle pourrait disposer dès qu'elle aurait introduit son invitée ; elle s'occuperait elle-même du thé.

Le juge hocha la tête avec satisfaction. C'était une femme intelligente et d'un goût exquis. Il admira la gracieuse composition florale qui ornait la table à thé. A chacune de ses visites, il découvrait quelque chose de nouveau : au mur, un poème qu'elle avait écrit, ou sur la table un nouveau tableau exécuté par ses soins, ou un morceau de fine dentelle. Elle était heureuse de pouvoir s'adonner à ces activités artistiques et prenait un vif plaisir à y initier les enfants. Son père, un homme dur et égoïste, l'avait chassée de chez lui après les terribles épreuves qu'elle avait subies à Peng-lai (1), et le juge savait qu'elle se sentait maintenant en sécurité et considérait sa Première et sa Seconde comme ses sœurs aînées. Un bruit de voix dans le salon le tira de ses réflexions.

La Troisième Epouse accueillait une grande femme, sobrement vêtue d'une robe grise et d'une veste à manches longues, serrée à la taille par une écharpe de soie dont les longs pans traînaient jusqu'à terre. Un châle noir lui cou-

(1) Voir *Trafic d'or sous les T'ang,* chapitre XIV, Coll. 10/18, n° 1619.

vrait la tête. Dès la disparition de la servante, la
dame défit son châle, le glissa dans son giron et
salua respectueusement son hôtesse, en levant
ses mains croisées dans les manches.

— Ma carte de visite vous aura appris qui je
suis, Madame, dit-elle. (Son débit était haché et
rapide.) Je vous remercie infiniment d'avoir
consenti à me recevoir, bien que je n'aie pas
encore eu l'honneur de vous être présentée,
Madame.

Son visage mobile et expressif était rehaussé
par un chignon des plus seyants, dépourvu de
toute parure. Le juge estima qu'elle ne correspondait pas aux critères classiques de la beauté ;
ses lèvres étaient trop pleines, ses sourcils un
soupçon trop épais et de légères poches se
formaient sous ses grands yeux vifs. Mais elle
devait posséder une forte personnalité, et devait
avoir, à son avis, trente-cinq ans environ.

Tout en conduisant son invitée vers la
chaise disposée près de la fenêtre, la Troisième Epouse lui adressa les formules de politesse convenues. Après quoi elle s'assit et
commença à préparer le thé. Madame Wou
aurait dû attendre qu'il fût prêt pour entamer
la conversation, au lieu de quoi elle commença sans façon :

— Je n'ai pas l'intention de vous faire perdre trop de temps, Madame, et je suis moi-
même assez pressée, car mon mari ne doit
pas savoir que je suis venue vous voir. Per-
mettez-moi donc d'écourter les cérémonies et
d'aller droit au fait. (Comme la Troisième
acquiesçait, Madame Wou s'empressa de

148

La Troisième épouse reçoit Madame Wou

poursuivre :) Mon époux est venu voir Son Excellence ce matin pour m'accuser d'avoir enlevé sa fille, Jade.

La Troisième Epouse lâcha sa tasse de thé qui se brisa sur les dalles de marbre.

— Je suis désolée ! s'exclama Madame Wou d'un air contrit. Comme c'est bête de ma part de vous exposer les choses aussi abruptement ! J'aurais dû commencer par le début. Attendez, je vais vous aider !

Aussitôt le petit incident réparé, Madame Wou reprit :

— Je n'ai, bien entendu, jamais songé à faire le moindre mal à sa fille. Je désire vous expliquer la situation, car, étant jeune mariée, vous me comprendrez. J'espère qu'ensuite vous aurez la gentillesse de rapporter à votre époux la teneur de nos propos, pour qu'il sache ce qu'il y a derrière toute cette histoire.

— Je ne peux rien vous promettre avant de vous avoir entendue, Madame Wou, remarqua la Troisième Epouse d'une voix douce et posée.

— Mais c'est évident ! rétorqua Madame Wou avec impatience. (Le vernis de politesse commençait à craquer.) Laissez-moi tout d'abord vous assurer de l'amour que je porte à mon mari. Il est deux fois plus âgé que moi, bien sûr, mais il est bon et attentionné, et il m'offre la sécurité dont j'ai besoin. Avant mon mariage, j'étais ce que l'on appelle une femme perdue, voyez-vous, et ne possédais pas une sapèque en propre. Mais tout cela est sans importance. Le problème est que Wou était veuf depuis trois ans lorsqu'il m'a épousée. Il n'avait qu'un enfant,

150

une fille du nom de Jade. Il était littéralement fou d'elle mais, entre nous, elle n'avait rien d'exceptionnel. Ce n'était qu'une gamine de dix-huit ans, qui pensait aux garçons avant l'âge convenable. J'ai voulu la prendre en main, mais Wou s'y est opposé ; c'était à lui de s'occuper de son éducation. Il l'adorait, un peu trop même, si vous comprenez ce que je veux dire. Il ne s'en rendait probablement pas compte, mais moi j'ai eu maintes occasions de m'en apercevoir. Je ne lui ai jamais parlé de ça, évidemment, mais je lui ai dit qu'elle s'interposait entre lui et moi et qu'il ferait mieux de la marier au plus vite. Ce furent dès lors des querelles interminables.

Elle haussa les épaules avant de poursuivre :

— Cela dit, il est vrai que les disputes ne sont pas rares entre un homme et sa femme, on n'y peut rien. Mais lorsque j'ai subodoré que Jade avait un bon ami, j'ai estimé qu'il était de mon devoir d'en avertir son père ; et c'est ce qui a mis le feu aux poudres ! Et encore, ce n'était rien comparé à la scène qu'il m'a faite quand la petite est partie avec son amoureux. Wou hurlait que je l'avais tuée et que j'avais caché son cadavre ! Une fois calmé, il comprit qu'il avait dit des bêtises. Mais par la suite il alla s'imaginer que je l'avais enlevée pour la vendre à un bordel ! Vous vous rendez compte ?

— Votre thé va refroidir, remarqua calmement la Troisième Epouse en poussant la tasse vers Madame Wou qui la vida d'un trait.

— Bon, j'ai nié cette accusation délirante avec acharnement, mais il n'a rien voulu savoir. Il se trouve que je n'étais pas là la nuit où elle s'est enfuie, voyez-vous. J'avais une vieille connaissance à voir.

— Le meilleur moyen de prouver votre innocence ne serait-il pas de révéler à votre mari le nom du bon ami de sa fille et l'endroit où ils se cachent ?

Le juge Ti sourit. Elle menait très habilement la discussion.

— Si seulement je l'avais su, je le lui aurais dit tout de suite ! répliqua froidement Madame Wou. Elle faisait les yeux doux à un certain Monsieur Yang, le secrétaire de son père. Mais Yang est un jeune homme très bien, et il a fait comme s'il ne s'apercevait de rien. Non, ce doit être un autre homme, mais je n'ai jamais réussi à savoir de qui il s'agissait. Son père lui a laissé beaucoup trop de liberté. Vous pouvez faire confiance à ces jeunes filles modernes pour mener intelligemment leurs petites histoires !

— Alors ne pouviez-vous pas demander à votre ami de dire à votre époux que vous étiez avec lui ? avança la Troisième Epouse d'une voix suave.

Madame Wou lui jeta un regard méfiant.

— Eh bien, répondit-elle posément, pour tout vous dire, j'avais rendez-vous avec Monsieur Yang. Il connaît la vie et il avait compris la tristesse de la mienne. Alors il m'a invitée à manger un morceau dans un endroit qu'il connaissait. En tout bien tout honneur, naturellement. Mais si mon mari venait à l'apprendre, il en aurait une attaque. C'est un homme charmant, mais un peu vieux jeu, vous comprenez.

Madame Wou poussa un soupir puis reprit promptement :

— Je serai brève. Ce matin, mon mari est venu me dire qu'il allait faire des démarches au sujet de la disparition de Jade. Au bout de six longs mois, figurez-vous ! Le juge, votre époux, l'a convoqué, n'est-ce pas ?

— Cela, je ne pourrais vous le dire, Madame Wou. A la maison, le juge ne parle jamais de ce qui touche à ses fonctions officielles.

— Quelle sagesse ! Quoi qu'il en soit, Wou a fait appeler Li Maï, son meilleur ami, banquier et négociant en or. Il est légèrement présomptueux, mais ce n'est pas un mauvais bougre. Ils ont filé tous les deux au tribunal. Maintenant que vous connaissez toute l'histoire, j'espère que vous aurez l'amabilité de suggérer à Son Excellence de conseiller à Wou d'abandonner ses invraisemblables soupçons à mon égard. Votre mari pourra alors s'atteler au problème de la fille et de son amant. C'est un fin limier, Madame ! Il retrouvera le couple en moins de deux ! Et l'on en aura fini une bonne fois pour toutes avec cette histoire. Ainsi Wou recommencera à me traiter comme un mari se doit de le faire. Il n'a pas mis les pieds dans ma chambre depuis la disparition de cette sale petite garce, croyez-le ou non ! Bon, eh bien, c'est tout.

La Troisième Epouse garda le silence quelques instants.

— Je vais réfléchir à ce que vous m'avez dit, Madame Wou, déclara-t-elle enfin. Mais je vous répète que mon mari a horreur de parler de son travail avec ses épouses, et je doute qu'il...

Madame Wou se leva et, lui tapotant gentiment le bras, dit en souriant :

— N'importe quel homme écouterait une jolie femme comme vous ! N'importe quel homme, ma chère ! Et merci mille fois pour votre gentillesse et votre patience, Madame !

Elle remit son châle autour de la tête, puis la Troisième Epouse la raccompagna à la porte.

Lorsqu'elle eut tiré le rideau de la porte-lune, le juge Ti vit des larmes briller dans ses yeux.

— Ce n'était pas amusant du tout, en fin de compte, avoua-t-elle d'un ton morne.

Le juge Ti l'attira contre lui et lui caressa doucement la main.

XIII

Li Maï donne du fil à retordre au juge Ti ;
le chef des sbires fait preuve
d'un zèle intéressé
pour une affaire sans intérêt.

Le sergent Hong et Ma Jong avaient écouté dans un silence surpris le juge Ti leur rapporter les révélations de Madame Wou. Après avoir remis ses papiers en ordre, le magistrat conclut :

— Madame Wou est une femme du peuple, douée d'une grande intuition en ce qui concerne les relations charnelles entre les sexes, mais parfaitement incapable de saisir la mentalité d'un homme comme son mari. Monsieur Wou voudrait savoir ce qui est arrivé à sa fille, mais il désire en même temps protéger sa femme, quelles qu'aient pu être ses fautes. C'est pourquoi, à la fin de notre entretien, il m'a fait promettre de le mettre au courant avant d'entamer toute action judiciaire. Car, si je venais à découvrir que sa femme était effectivement impliquée dans la disparition de sa fille, Wou a l'intention de me faire classer l'affaire.

— Pensez-vous, Excellence, que les soupçons de Monsieur Wou soient justifiés ? demanda le sergent Hong.

Le juge Ti lissa pensivement sa moustache.

— Je t'avouerai que je n'en ai pas la moindre idée, finit-il par reconnaître. En revanche, je suis persuadé que l'hypothèse avancée par Madame Wou de la fuite de Jade avec un amant secret est une absurdité pure et simple. Si Jade avait effectivement eu un amant, vous pouvez être sûrs que Madame Wou se serait arrangée pour savoir qui c'était ! Quant à la culpabilité de Madame Wou... Elle a fait part à mon épouse des soupçons de son mari avec une candeur désarmante, mais cela ne prouve rien, bien entendu ; elle était fermement convaincue qu'il était venu me voir pour la dénoncer. Madame Wou est une femme extrêmement sensuelle, et une frustration prolongée conduit souvent de telles femmes aux pires excès.

— Je n'arrive pas à comprendre, déclara Ma Jong, pourquoi le peintre Li Ko a engagé Yang comme assistant après que Wou l'eut renvoyé. Et apparemment Yang comptait fleurette à Madame Wou. Il faudrait en savoir davantage sur Monsieur Yang. Après tout, il est la seconde victime du temple !

Le juge était en train de parcourir ses notes.

— Quelle étrange coïncidence, s'exclama-t-il en relevant la tête, que Yang soit mêlé à la disparition de Jade ainsi qu'aux meurtres qui nous occupent actuellement. Cela ne me dit rien qui vaille, mais alors rien du tout ! En outre, le fait que Tala ait connu Jade laisse à penser qu'il existe également une piste tartare.

— Je pourrais retourner voir Talbi pour lui demander de se renseigner auprès de ses compatriotes au sujet de l'enlèvement d'une jeune

156

Chinoise, proposa Ma Jong, estimant qu'après tout, comparée à Tala et à Madame Wou, Talbi était plutôt une brave fille.

— D'accord, vas-y, Ma Jong. Jade a peut-être été retenue prisonnière dans quelque bouge du quartier nord. Mais pour commencer, tu dois essayer d'en savoir plus long sur Seng-san. Si Mademoiselle Jade a effectivement été enlevée, nous mettrons tôt ou tard la main sur ces canailles. Mais nous devons tout d'abord découvrir l'assassin du temple, avant qu'il ne commette d'autres forfaits, comme la tentative de meurtre sur ta personne, la nuit dernière.

On frappa à la porte et un employé du tribunal fit son apparition.

— Monsieur Li Maï, le banquier, est revenu, Noble Juge. Il serait extrêmement reconnaissant à Votre Excellence de le recevoir un instant.

— Fais-le entrer ! (Et, s'adressant à ses deux lieutenants :) J'avais bien remarqué que Monsieur Li avait l'air préoccupé, mais le préfet ne l'a pas laissé parler.

Le banquier eut l'air décontenancé en découvrant que le magistrat n'était pas seul dans son cabinet.

— Asseyez-vous, Monsieur Li ! s'exclama le juge avec impatience. Ce sont mes deux conseillers particuliers.

Li Maï prit le siège que lui offrait le sergent Hong et arrangea soigneusement sa robe grise en s'asseyant. Puis, regardant le juge Ti droit dans les yeux, il déclara :

— Je suis infiniment reconnaissant à Votre Excellence de m'accorder cet entretien. Il m'était impossible de parler librement en présence de Monsieur Wou. (Li Maï s'éclaircit la gorge.) Tout d'abord, je voudrais vous redire que je considère toujours Mademoiselle Jade comme ma fiancée, et que je l'épouserai dès qu'on l'aura retrouvée, quoi qu'il lui soit arrivé pendant ces derniers six mois. (Il serra un instant ses lèvres fines d'un air décidé.) Deuxièmement, j'ai eu l'impression que Votre Excellence avait hésité à révéler à Monsieur Wou ce qu'elle savait, de crainte de le blesser. En ce qui me concerne, Votre Excellence n'a aucun scrupule de la sorte à avoir. Je suis prêt à entendre la vérité, Seigneur Juge, quand bien même serait-elle pénible.

Li Maï regarda le juge, attendant une réponse.

— Monsieur Li, dit enfin le magistrat en se renversant dans son fauteuil, je ne peux que vous répéter ce que j'ai dit ce matin à Monsieur Wou. (Tandis que l'autre s'inclinait respectueusement, le juge reprit :) Toutefois, vous pourriez m'aider dans mes investigations en m'exposant quelles mesures vous avez prises l'année dernière, vous-même et Monsieur Wou, pour retrouver votre fiancée.

— Avec plaisir, Noble Juge. Je me suis personnellement rendu dans le quartier réservé de la ville où j'ai mené une enquête discrète. N'obtenant aucun résultat, j'ai ordonné à mon plus vieil employé, originaire de Lan-fang et donc y connaissant beaucoup de monde, de faire des recherches dans la pègre. Il échoua lui aussi totalement. (Li Maï jeta un rapide regard vers le juge.) Je suis convaincu, Excellence, que Mademoiselle Jade a été enlevée non par des gens d'ici mais par une bande de malfrats de passage dans la région qui l'ont emmenée aussitôt avec eux. (Il se passa la main sur son visage moite.) J'ai écrit aux Maîtres de Guilde des Négociants en or et en argent des cinq districts de cette partie de l'Empire, en leur joignant des copies d'un portrait de ma fiancée. Mais cela non plus ne donna aucun résultat. (Il soupira.) Votre Excellence a eu parfaitement raison de me reprocher de ne pas avoir incité Monsieur Wou à faire une déposition immédiate au tribunal. Mais il n'est pas trop tard, Excellence ! Si vous vouliez bien rédiger une circulaire à l'adresse des magistrats de...

— J'avais précisément l'intention de le faire, Monsieur Li. Pourriez-vous me faire parvenir une douzaine de copies du portrait de Mademoiselle Jade ?

Cette requête sembla ennuyer le banquier.

— Pas... pas instantanément, Excellence. Mais je vais faire mon possible pour...

— Parfait. Joignez-y également une description détaillée de la jeune fille. A propos, vous pourriez les faire exécuter par votre frère ; il est peintre...

Le banquier avait étrangement pâli.

— J'ai rompu toute relation avec lui, Noble Juge, expliqua-t-il. Je suis au regret de vous informer que c'est un individu aux mœurs dissolues. Il a longtemps vécu sous mon toit, à mes crochets, sans jamais lever le petit doigt. Il se contentait de barbouiller ses tableaux ou de lire

de mystérieux livres d'alchimie ou de philoso-
phie hétérodoxe à longueur de journée. Ses
nuits, il les passait dans des maisons de jeu, des
tavernes ou pire encore. Il fait partie du même
milieu que Madame Wou et... (Li Maï se tut
brusquement en se mordant la lèvre.)

— Madame Wou ? s'étonna le juge.

— Je n'aurais pas dû en parler, Excellence !
répondit Li d'un air navré. Cependant, à présent
que le mal est fait, je peux bien vous avouer,
sous le sceau du secret naturellement, que je
connaissais Madame Wou et l'homme avec qui
elle vivait avant d'épouser Wou. C'était un très
bon serrurier-forgeron qui m'a fait à l'occasion
quelques menus travaux sortant de l'ordinaire.
Mais c'était un voleur et il ne fréquentait que des
voleurs. Lorsqu'il l'a quittée, elle est venue me
voir pour me demander de l'aider à trouver du
travail, dans une boutique éventuellement. Wou
est arrivé chez moi sur ces entrefaites et s'est
aussitôt épris d'elle. J'ai voulu le mettre en
garde sur le milieu dont elle était issue, mais elle
me jura n'avoir jamais pris part à quelque
activité malhonnête et m'assura solennellement
qu'elle serait une bonne épouse pour Wou. Je
dois admettre qu'elle était très capable et énergique, aussi ne suis-je pas intervenu et Wou l'a
épousée. La cérémonie eut lieu le quinzième
jour du cinquième mois, l'année dernière. Et le
fait est qu'elle s'est très bien occupée des affaires
de son mari. Malheureusement, elle ne s'est pas
entendue avec Mademoiselle Jade.

— Oui, c'est ce que j'ai appris aussi. Et pour
quelle raison ?

— Eh bien, Excellence, Mademoiselle Jade était une jeune fille charmante, mais elle ne connaissait rien à la vie ; encline à considérer toute chose d'un point de vue purement théorique, voyez-vous. Elle ne se formalisa aucunement de ce que sa belle-mère vînt d'un milieu très différent, mais elle lui déplut instantanément. Leur inimitié était réciproque, ce me semble. Monsieur Wou l'a compris et a entièrement pris en charge l'éducation de Jade. C'est une situation inhabituelle, n'est-ce pas, Excellence, qu'une jeune fille n'ait dans son entourage aucune femme plus âgée pour la conseiller. Voilà pourquoi j'étais ravi de me la voir proposer en mariage. Je suis un peu plus âgé qu'elle, naturellement, mais Monsieur Wou pensait qu'il fallait à Jade un mari capable d'avoir la patience de lui expliquer les choses et de lui apprendre ce qu'était la vie. Autrement dit, un mari capable de prendre auprès d'elle la place que Wou avait occupée depuis la mort de sa mère.

Le banquier lissa sa moustache noire du bout de l'index avant de poursuivre :

— Je suis profondément amoureux de Mademoiselle Jade, Excellence, et je crois pouvoir dire que je suis jeune pour mon âge. Mon unique passe-temps est la chasse, et cela conserve en bonne santé.

— Absolument. A propos, pensez-vous comme Monsieur Wou que Yang faisait les yeux doux à Jade ?

— Non, Excellence. Je ne peux pas dire que j'ai de l'amitié pour Yang ; il fréquente les mêmes établissements que mon débauché de

161

frère. Mais dans la maison, il s'est toujours montré correct. C'est un lettré, après tout. (Li réfléchit un instant.) Monsieur Wou a peut-être eu un peu tendance à se montrer trop méfiant quant aux intentions des autres hommes envers sa fille. Mademoiselle Jade n'a pas eu ce que l'on appellerait un foyer joyeux, Excellence, et c'est encore une des raisons pour lesquelles je désirais l'épouser au plus tôt.

— Je vous remercie de tous ces précieux renseignements, Monsieur Li. Si vous ne voyez rien à ajouter, nous en resterons là. J'ai un certain nombre de choses à régler avant l'ouverture de l'audience. Je vous tiendrai au courant de l'évolution de l'enquête.

Dès que le banquier eut cérémonieusement pris congé du magistrat, Ma Jong remarqua :

— C'est un type bien. Nous devons essayer de...

Le juge ne l'écoutait pas.

— Je me demande, dit-il d'un air songeur, pourquoi Monsieur Li est revenu me voir. En repensant à notre conversation, je ne me rappelle que l'unique question qu'il ait posée : à savoir si j'avais découvert un nouvel élément. Il a également affirmé deux choses : il a réitéré sa ferme intention d'épouser Mademoiselle Jade et a insisté sur l'importance d'orienter nos recherches dans d'autres districts. Avait-il réellement besoin de se déplacer pour si peu ? C'est très curieux.

— Je crois, Excellence, intervint le sergent Hong, qu'il voulait également noircir Madame

Wou. Ce n'est pas un lapsus qui lui a fait mentionner son nom. Il l'a prononcé exprès.

— Oui, j'ai eu la même impression, Hong. Bon, occupons-nous un peu de ce double meurtre, mes amis. J'avais prévu de retourner au temple pour y faire des recherches plus approfondies aussitôt après le petit déjeuner, mais toutes ces visites nous en ont empêchés. Nous nous y rendrons donc après l'audience. Je l'écourterai le plus possible — après avoir fait quelques vagues commentaires sur le meurtre du temple, dit que l'enquête suit son cours, et que Ah-liou restera en prison jusqu'à nouvel ordre. Tu n'as pas besoin d'y assister, Ma Jong. Je voudrais que tu passes voir ce fameux Roi des Mendiants. Quand bien même n'aurait-il plus aucun pouvoir aujourd'hui, il en sait certainement long sur tout ce qui se trame en ville. Demande-lui s'il connaissait Seng-san. Ensuite, tu pourrais essayer de retrouver l'individu qui a tatoué Seng-san. Ils ne doivent pas courir les rues, car le goût pour ce genre particulier de parure est en train de se perdre. C'est difficile à croire, mais les voyous et autres coquins de bas étage sont aussi respectueux des oukases de la mode que les plus célèbres courtisans ! Si tu repères le type en question, demande-lui ce qu'a dit Seng-san en se faisant tatouer la silhouette du temple dans le dos. J'espère que...

Le chef des sbires entra, deux volumineux dossiers sous le bras. Il les déposa sur le bureau puis déclara d'un air important :

— De nouveaux éléments sont apparus dans l'affaire Kao contre Lo, Excellence. Kao est persuadé qu'au regard de ce fait Votre Excellence sera à même de régler cette affaire à l'audience du matin. Je suis allé chercher les dossiers aux archives, Excellence, afin que vous puissiez les consulter avant.

L'homme épousseta les couvertures des dossiers avec un soin amoureux. Ils contenaient tous les documents relatifs à une inextricable querelle d'héritage en suspens depuis de longs mois et qui portait sur de grosses sommes d'argent. Comme il était d'usage que la partie gagnante gratifie largement le chef des sbires et ses hommes, ils portaient toujours un très vif intérêt à ce genre d'affaires.

— Très bien. Veille à ce que l'on ait préparé la salle du tribunal pour l'ouverture de l'audience !

Dès que le chef des sbires eut refermé la porte derrière lui, le juge Ti s'exclama d'un air contrarié :

— Quel manque de chance ! J'avais entièrement confié l'affaire Kao contre Lo aux soins du premier scribe. Il l'a étudiée à fond et en connaît tous les détails sur le bout des doigts ! Pour notre malheur, il est aujourd'hui à Tong-kang... Nous allons devoir passer tous ces papiers en revue le plus vite possible, Hong ! L'audience commence dans une heure. Prends ton temps, Ma Jong, pour ce dont je t'ai chargé. Je crains bien que l'audience ne dure jusqu'à ce soir !

XIV

Ma Jong prie le Dieu de la Guerre
de lui accorder la paix des sens ;
il rencontre un triste sire.

Ma Jong revêtit la vieille veste et le pantalon défraîchi qu'il avait mis la veille pour aller voir Talbi et Tala. Il se rendit au marché et s'installa à la longue table d'une gargote en plein air, fréquentée par des portefaix et des coolies. Il se fit servir un grand bol de nouilles épicées, puis un second, car elles étaient exquises. Il rota avec satisfaction, saisit un cure-dents et dit au coolie qui avalait ses nouilles à côté de lui :

— Il est beau le serpent que tu as sur le bras. Ma môme voudrait que je m'en fasse tatouer un sur la poitrine, un qui bougerait chaque fois que je respirerais. Elle prétend que ça va l'exciter bougrement.

L'autre contempla le large torse de Ma Jong d'un air dubitatif :

— Ça va te coûter cher ! Mais tu n'as pas besoin d'aller loin pour ça. Le meilleur dans sa spécialité tient une petite échoppe dans l'impasse d'à côté.

Ma Jong découvrit l'expert occupé à trier ses

aiguilles de bambou. Il l'observa un instant, puis lui dit d'un ton revêche :

— La tête de tigre que tu as tatouée sur le dos de mon ami Seng-san ne lui a pas porté bonheur : il a été assassiné !

— C'est entièrement de sa faute, frère ! Je lui avais bien dit qu'une tête de tigre ne pouvait protéger convenablement si on ne lui ajoutait pas de moustaches rouges. Ç'aurait coûté dix sapèques de plus, parce que les pigments rouges sont très chers, tu comprends. Ton copain a refusé, et tu vois ce qui lui est arrivé...

— Il m'a dit qu'il n'avait aucun besoin de moustaches à son tigre parce que l'image sacrée du temple que tu lui as tatouée sur les reins avait un pouvoir très puissant. A quoi bon dépenser dix précieuses sapèques de plus ?

— Alors comme ça c'était un temple, hein ? Seng-san m'a dit que c'était une maison qui ne demandait qu'à être cambriolée ! Beaucoup d'or et beaucoup de bonheur, qu'il m'a demandé d'écrire en dessous. Il n'a rien eu du tout, le pauvre bougre ! Et toi, qu'est-ce que tu veux ? Je te montre mon livre de modèles ?

— Oh non, pas moi ! Je suis très douillet, salut !

Ma Jong s'éloigna tout en mâchonnant pensivement son cure-dents. Seng-san s'était bien gardé de parler de l'or. Arrivé devant le Temple du Dieu de la Guerre, il en gravit les degrés de marbre et acheta deux sapèques de bâtonnets d'encens au moine qui somnolait dans son petit bureau. Ma Jong alluma les bâtonnets qu'il piqua dans le brûle-parfum posé sur l'autel, au-dessus duquel se dressait une gigantesque statue dorée du dieu, féroce guerrier brandissant une épée de dix pieds de long.

— Accorde-moi un peu de chance aujour-d'hui, je t'en prie, Seigneur ! murmura-t-il avec ferveur. Et ajoutes-y une jolie petite femme si possible. Elles sont cruellement absentes des affaires dont je m'occupe actuellement !

Dans une rue plus bas, un mendiant unijam-biste demandait l'aumône. Ma Jong déposa une sapèque au creux de sa main crasseuse et lui demanda où se trouvait la cave du Roi des Mendiants. L'homme posa sur Ma Jong des yeux sournois, profondément enfoncés dans un visage flasque. Puis il partit clopin-clopant sur ses béquilles, le plus vite qu'il put. Ma Jong poussa un juron. Il aborda deux badauds qui se contentèrent de le regarder sans le voir.

Il erra au hasard dans les impasses malodo-rantes et les ruelles animées, essayant de trou-ver un endroit propice pour demander où habi-tait l'insaisissable Roi. Il savait que les pauvres gardaient jalousement leurs secrets et, en dehors de la stricte nécessité, se montraient toujours solidaires. Epuisé et assoiffé, il entra dans une petite taverne. Installé au comptoir graisseux, il se dit qu'il aurait intérêt à se forger une identité. Il était persuadé que personne ne douterait qu'il ne fût un vagabond ; mais il était inconnu dans le quartier, et cela faisait toute la différence. Les quelques coolies accoudés au comptoir l'obser-vèrent avec méfiance. Contemplant d'un air morose le bol en terre rempli d'alcool posé devant lui, le lieutenant du juge Ti se prit à regretter une fois encore l'absence de son collègue et frère de sang, Tsiao Taï. Une scène habilement préparée entre eux deux aurait eu tôt fait de dissiper l'hostilité ambiante.

Quand il eut vidé son troisième bol, le rideau de la porte s'ouvrit et une espèce de souillon entra dans la taverne. Les coolies la connaissaient ; ils l'accueillirent par quelques plaisanteries égrillardes. L'un d'eux l'attrapa par la manche de sa robe élimée. Elle le repoussa avec un juron obscène.

— Bas les pattes ! Je ne travaille que la nuit ; le jour, je dors. Je suis venue voir ma vieille mère, elle s'est remise à cracher du sang et n'a personne pour s'occuper d'elle. Donne-moi à boire, je paierai même comptant !

— C'est moi qui régale, fit Ma Jong d'un ton bourru.

— En quel honneur ? Qui es-tu ?

— Je viens de Tong-kang. Cousin de Sengsan...

Les coolies l'examinèrent des pieds à la tête.

— Tu es venu ramasser son héritage ? persifla l'un d'eux.

Les autres pouffèrent de rire.

— Je suis venu régler les comptes, répondit calmement Ma Jong. (Et lorsque tout le monde se fut tu brusquement, il ajouta :) Personne ne veut m'aider ?

— Ils sont beaucoup trop gros pour nous autres, ces comptes, étranger, répondit posément un vieux coolie. Les hommes du tribunal ont eu Ah-liou, et ils vont le décapiter, c'est sûr. Mais Ah-liou n'est pour rien là-dedans. Personne d'entre nous, non plus. C'est une sale crapule qui a fait le coup.

— Je me fous de qui c'est, du moment que je le chope. Et le Roi ?

— Le Roi, il porte la poisse, maugréa la prostituée. Demande un peu aux filles qui vivent ici ! Dix sapèques la passe, pour voir sans être vu. (Elle vida son bol d'un trait.) Demande-lui quand même ; je crois qu'un jour j'ai vu Seng-san chez lui.

Ma Jong se leva et régla les consommations.

— Conduis-y-moi, dit-il à la femme. Il y a dix sapèques à la clé.

— Je vais t'y conduire pour rien. Seng-san était un sale type, mais il s'est fait buter par un voyou, et ça, on peut pas le laisser passer.

Les coolies émirent un grognement approbateur.

La femme entraîna Ma Jong quelques rues plus bas, avant de s'arrêter à l'angle d'une ruelle sinueuse.

— A l'autre bout, tu verras un vieux baraquement de l'armée. Les soldats sont partis, mais les filles sont restées, avec leurs gosses. Le Roi habite dans la cave, en dessous. Bonne chance !

La ruelle pavée était bordée de vieilles maisons en pierres grises. Auparavant, le quartier était habité par des gens plutôt aisés, mais aujourd'hui une douzaine de familles pauvres y avaient élu domicile. A chaque pas, Ma Jong devait éviter de se cogner dans le linge qui séchait sur des perches en bambou aux fenêtres de l'étage. Assis sur un banc dans la rue, les habitants buvaient du thé en discutant bruyamment, tandis que leurs épouses, penchées aux fenêtres, écoutaient et donnaient leurs avis. Le bout de la rue était plus calme. A l'angle, là où se dressait le baraquement, il n'y avait qu'un ou deux badauds. La porte en bois du bâtiment délabré était fermée ; pas un bruit ne filtrait de derrière les volets clos. Les femmes avaient du sommeil à rattraper.

A côté de la grande porte, Ma Jong avisa une petite entrée sombre et basse dans laquelle il s'engagea : une volée de marches en pierre grossièrement taillées descendait vers une cave.

Une odeur humide de détritus lui parvint aux narines comme il descendait lentement les marches. La cave obscure faisait environ dix pieds de large, mais plus de quarante de long, semblait-il, s'étendant sur toute la longueur du bâtiment. Un rai de lumière filtrait par un soupirail voûté juste au-dessous des poutres du plafond, donnant au niveau de la rue. Tout au fond, une pauvre chandelle brûlait sur une table basse de fortune. A part un tabouret de bambou, devant la table, il n'y avait aucun meuble, et le lieu avait l'air désert. Comme il se dirigeait vers la chandelle, Ma Jong remarqua au passage les parois vertes de moisissure qui ruisselaient d'eau par endroits.

— Reste où tu es, toi ! fit une voix nasillarde juste au-dessus de Ma Jong.

Le lieutenant du juge Ti fit un écart, leva la tête et distingua vaguement une forme sombre contre les barreaux du soupirail. En s'approchant, il découvrit qu'il s'agissait d'un homme petit, incroyablement vieux, accroupi dans un coin du soupirail. Avec son crâne absolument chauve et luisant, son long nez pointu et son cou décharné qui sortait de ses haillons noirs, il ressemblait étrangement à un vautour prêt à fondre sur sa proie. Il tenait à la main un long bâton terminé par un redoutable crochet de fer. Deux petits yeux mauvais fixaient Ma Jong.

— Du calme ! cria-t-il. Je voudrais voir le Roi ; j'ai un conseil à lui demander, question boulot.

— Laisse-le passer, Le Bigle ! fit une grosse voix rocailleuse du fond de la cave. Y'en a qui paient pour ça !

L'espèce d'oiseau blotti dans le soupirail fit signe de son bâton à Ma Jong qu'il pouvait y aller. Des pas résonnèrent dans la rue. Le petit bonhomme loucha à travers les barreaux. Tout à coup, d'un mouvement incroyablement preste, il ramena à lui son bâton pour le glisser au-dehors. Puis après l'avoir attiré vers lui, il arracha du crochet un morceau de gâteau à l'huile souillé de boue et le mastiqua avec satisfaction. Ma Jong se dirigea vers la table en se disant qu'il avait eu de la chance de ne pas recevoir le crochet dans le cou.

Bien qu'il s'efforçât de s'habituer à l'obscurité, il ne put distinguer au-delà de la table qu'une cave plongée dans les ténèbres, flanquée de deux piliers en pierre. Celui de droite semblait sur le point de s'écrouler : des pierres manquaient par endroits et d'épaisses toiles d'araignées pendaient dans les cavités.

— Assieds-toi, ordonna la grosse voix.

Comme Ma Jong prenait le tabouret de bambou, une énorme main velue sortit de l'ombre et moucha la chandelle entre son gros pouce et l'index. A présent que la flamme brûlait haut et clair, Ma Jong découvrit que ce qu'il avait pris pour un pilier effondré était en réalité la silhouette informe d'un géant barbu. Il était assis derrière la table, sur le socle du pilier. Son large dos voûté épousait parfaitement la cavité formée par les pierres disparues. Sa tête grise ébouriffée était nue ; de longues mèches lui pendaient sur le front, haut et creusé de profonds sillons. De sous de maigres sourcils, de grands yeux gris ardoise fixaient résolument Ma Jong. Le vieillard portait une veste rapiécée, dont la couleur passée se rapprochait du gris poussière.

— Je m'appelle Chao-pa, déclara Ma Jong d'un ton brusque, je suis de Tong-kang, cousin de Seng-san.

— Il ment, Le Moine ! glapit le vieux tapi dans le soupirail. Seng-san n'a jamais eu de cousin !

— Lao-wou est en taule, enchaîna rapidement Ma Jong. C'est donc à moi de choper le salopard qui a eu Seng-san.

— Pourquoi venir me voir, Chao-pa ?

— Parce qu'à Tong-kang on m'a dit que c'est vous le patron ici.

— C'était le patron ! s'écria Le Bigle avant d'éclater d'un rire de crécelle.

Le vieillard se leva, ramassa une pierre de sous la table et la lança à toute volée vers le petit vieux. Son rire se transforma brusquement en un cri de douleur, et il se mit à sautiller dans son soupirail comme un oiseau en cage. L'homme qu'il avait appelé Le Moine scruta Ma Jong de la tête aux pieds.

— Tu as la stature de Seng-san, remarqua-t-il. J'ignore qui l'a tué, mais je sais sur quel coup il était.

— Ben voyons ! railla Ma Jong. L'or du temple, naturellement. Le salaud qui l'a tué va me dire où il l'a caché ; alors là, je saurais bien le faire parler quand je l'aurais chopé !

L'autre ne répondit rien. Il passa lentement sa grosse main sur la table. Des figures géométriques avaient été gravées dans le bois, ainsi que par endroits des signes mystérieux. Soulevant la chandelle, Le Moine examina l'entrelacs de traits, penchant sa tête à la tignasse grise ébouriffée au-dessus de la table. Puis il leva les yeux.

— Non, j'ai tracé beaucoup trop de diagrammes ici ; on ne voit presque plus le dessin. (Ma Jong fut surpris d'entendre le vieillard s'exprimer avec distinction, en dépit de sa voix grossière.) Je ne peux pas te dire grand-chose, Chao-pa, pas grand-chose. Mais je vais te donner un bon conseil : trouve l'or et oublie l'assassin.

— Pas question que je l'oublie, mais il n'y a pas de mal à commencer par trouver l'or. Combien voulez-vous ?

— Les deux tiers, Chao-pa.

— Vous êtes fou, non ? La moitié. Je dois encore partager avec Lao-wou, figurez-vous !

— Et toi avec moi, Le Moine ! s'exclama l'homme dans le soupirail.

— Marché conclu.

Le Moine fouilla dans sa manche en lambeaux

et posa sur la table un petit cube de bois sur lequel étaient tracées des lettres d'un alphabet étranger.

— Va cette nuit à l'Ermitage, Chao-pa ; c'est un petit temple, à côté du grand, tout rouge, situé sur la colline après la porte de l'Est. N'importe qui pourra te l'indiquer. Escalade le mur et frappe quatre coups à la porte de chez la servante, une toute petite maison de brique, à gauche de l'entrée. Montre-lui cet objet. Elle s'appelle Nuage de Printemps.

— Printemps de ses fesses, oui ! railla Le Bigle.

Le Moine lui jeta une pierre et le manqua de peu. Comme elle roulait sur le sol, le vieil homme gloussa de nouveau.

— Alors, tes yeux te jouent des tours à toi aussi, Le Moine ? s'exclama-t-il.

— Elle a découvert l'or ? demanda Ma Jong.

— Pas encore, Chao-pa. Mais elle est très près d'y arriver. Ensemble, vous y parviendrez.

— Cela étant, pourquoi n'allez-vous pas le chercher vous-même ?

— Parce qu'il peut pas marcher ! ricana Le Bigle. Si je lui apportais pas sa bouffe, il crèverait comme un chien galeux ! Et on continue à l'appeler le Roi !

— Mes jambes ont du mal à me porter, maugréa Le Moine. J'ai des rhumatismes jusque dans la moelle des os. Ça m'a déformé le dos et les jambes. Mais je peux encore monter à cheval et j'ai toute ma tête. N'essaye donc pas de te la payer, Chao-pa !

— Et Yang, alors ? N'a-t-il pas droit à une part, lui aussi ?

Le Moine gratta sa longue barbe éparse sans détacher de Ma Jong ses étranges yeux fixes.

— Alors comme ça tu es aussi au courant pour Yang, hein ? Yang a disparu. Tu ferais bien de faire attention, Chao-pa, il se pourrait que tu disparaisses à ton tour. J'ignore qui a trucidé ton copain, mais il connaissait son travail. Va à l'Ermitage cette nuit.

— Et reste avec la fille ! cria Le Bigle. Tu l'auras pour rien !

Le Moine se leva à demi en s'appuyant sur ses grands bras musclés. Ma Jong constata alors que, debout, le colosse l'aurait dépassé d'au moins deux pouces. Mais il était plié en deux et ses impressionnantes épaules étaient étonnamment voûtées.

Le petit bonhomme se mit à sautiller dans son soupirail, en faisant battre ses haillons noirs comme des ailes.

— Excuse-moi, Le Moine ! Désolé, patron ! geignit-il.

— Ferme-la, Le Bigle ! Et ne l'ouvre plus... râla Le Moine en se rasseyant.

— Au revoir, Chao-pa, ajouta-t-il à l'adresse de Ma Jong, puis il s'adossa de nouveau contre le pilier et laissa retomber sa tête sur sa poitrine.

Ma Jong se leva, salua de la main le vieillard dans son soupirail et remonta l'escalier de la cave.

Il prit le chemin du tribunal en sifflotant

gaiement. Son expédition lui avait pris tout l'après-midi ; le soir tombait à présent. Heureusement, il n'avait pas perdu son temps ! L'Abbesse avait déjà prévenu le juge que sa servante fréquentait des vagabonds, et voilà qu'il apprenait quant à lui que la fille avait été placée là comme agent du Roi des Mendiants ! La soirée promettait d'être assez intéressante, à plus d'un titre !

Quand les deux gigantesques lampions de papier huilé rouge qui éclairaient le portail du Temple du Dieu de la Guerre furent en vue, il gravit de nouveau le grand escalier et brûla de l'encens. Visiblement, le dieu était fort bien disposé à son égard !

Arrivé au tribunal, le chef des sbires lui fit savoir que le juge et le sergent Hong se trouvaient dans la bibliothèque du magistrat, en compagnie du peintre Li Ko. Ma Jong gagna rapidement sa chambre, se lava et passa des vêtements propres.

XV

*Le juge Ti disserte sur l'importance
des lointains et cite un auteur ancien ;
il assiste à un spectacle
d'ombres chinoises.*

Le vieil intendant était en train d'allumer les
lanternes alignées devant la terrasse de marbre.
Par les portes ouvertes de la bibliothèque, Ma
Jong aperçut le juge debout les mains derrière le
dos, devant la grande table d'ébène sculptée, au
centre de la pièce. Le sergent Hong aidait le
peintre à dérouler ses rouleaux peints.

Voyant Ma Jong sur la terrasse, le juge Ti dit
à Li :

— Je regrette que vous n'ayez pas encore
réussi à me faire ce tableau des régions frontalières, Monsieur Li. Mais je sais combien il est
difficile de faire venir ces papiers de qualité dans
une ville aussi reculée que la nôtre. Et je conçois
parfaitement que vous ne désiriez point peindre
un tableau où l'atmosphère a une telle importance sans être vous-même dans l'état d'esprit le
plus approprié pour ce faire. J'aimerais beaucoup voir les trois paysages que vous avez
exécutés l'an dernier. On pourrait peut-être les
accrocher à ce mur, n'est-ce pas ? Demande à
l'intendant de nous apporter d'autres chan-

delles, Hong. En attendant, je vais faire un tour dans le jardin pour profiter de la fraîcheur vespérale.

Le juge conduisit Ma Jong vers un vieux banc de pierre, sous un grand acacia, en contrebas du bout de la terrasse.

— L'audience s'est éternisée jusque tard dans l'après-midi, dit-il à son lieutenant. J'ai été contraint de la suspendre, car la partie adverse avait découvert elle aussi de nouveaux éléments à porter au dossier ! J'ai rarement rencontré de problèmes de succession aussi compliqués ! Juste après m'être changé et baigné, Li Ko est venu me voir. Nous allons discuter un peu plus longuement avec lui tout à l'heure. Et toi, qu'as-tu appris ?

Ma Jong relata en détail les péripéties de son après-midi. Le juge Ti se montra très intéressé par sa conversation avec ce Roi des Mendiants que l'on surnommait Le Moine. Il la lui fit répéter mot pour mot.

— Tu as très bien joué, Ma Jong ! Enfin, nous commençons à voir cette affaire de l'intérieur, pour ainsi dire ! L'identité du meurtrier reste encore nimbée de mystère, mais nous nous rapprochons inexorablement de l'or du trésorier impérial ! Tâche donc de mettre la main dessus cette nuit avec cette fameuse petite servante, ce sera préférable que d'y aller avec toute une escouade de sbires. Essaye aussi de la faire parler du Moine. Ce me semble un personnage tout à fait extraordinaire.

Le juge Ti brossa négligemment quelques

fleurs tombées sur ses genoux puis se leva. Les deux hommes regagnèrent la bibliothèque.

La pièce était vivement éclairée par quatre hauts chandeliers. Li Ko et le sergent Hong se tenaient devant trois grands rouleaux peints accrochés à l'étagère supérieure de la bibliothèque ; les barres de bois rondes qui lestaient le bas des rouleaux touchaient le sol. Le juge retourna son fauteuil avant de s'y asseoir, face aux tableaux. Il les observa en silence, tout en se lissant les favoris.

— Oui, dit le magistrat, j'aime beaucoup ce paysage du milieu, à l'encre. Les deux autres sont peut-être peints avec plus de délicatesse, mais les touches de celui du centre possèdent l'aisance désinvolte de nos anciens maîtres. Il y a un lointain extraordinaire, là. Si vous n'aviez pas rajouté cette petite île, à l'horizon, on n'aurait pu deviner où s'arrête la mer et où commence le ciel.

— Vous avez un sens très aigu de la peinture, Excellence, remarqua Li Ko avec reconnaissance. Je vise toujours à créer la profondeur et le lointain, mais j'y parviens rarement.

— Si jamais nous parvenions à atteindre effectivement ce que nous désirons par-dessus tout, répondit sèchement le juge, nous nous en dégoûterions. Asseyez-vous, Monsieur Li, nous allons prendre le thé.

Le vieil intendant était entré avec le grand plateau à thé. Après que chacun eut trempé ses lèvres dans sa tasse, le juge Ti reprit :

— Vous êtes un grand artiste, Monsieur Li. Vous devriez vous marier, ainsi pourriez-vous transmettre vos talents à vos fils, le moment venu.

Li esquissa un pâle sourire.

— Le mariage engendrerait le dégoût dont vous venez de parler, Excellence. Il supprime l'amour du romanesque, et c'est ainsi que disparaît l'esprit créatif.

Le juge secoua énergiquement la tête.

— Le mariage est l'institution fondamentale de notre sacro-saint ordre social, Monsieur Li. Si vous pouviez vivre toute votre vie enfermé, sans jamais sortir de chez vous, alors peut-être pourriez-vous aimer sans en accepter les conséquences logiques. Toutefois, puisque vous êtes contraint de sortir dans le monde, vous devez vous adapter à la société des hommes. Faute de quoi vous seriez inévitablement malheureux. Un auteur ancien comparait l'homme à l'un des quatre chevaux d'un attelage. Dans l'attelage, chaque cheval possède une grande marge de liberté : aller moins vite, ou plus vite, faire un écart à droite ou à gauche, car le chariot ne quittera jamais la route. Le cheval qui quitte l'attelage peut jouir d'une liberté totale — pendant un certain temps. Mais le jour où il commence à se sentir seul et las, et désire rejoindre l'attelage, il ne peut plus retrouver la route ni jamais rattraper le chariot.

Le peintre avait pâli. Il trembla en reprenant sa tasse de thé. Il y eut un silence gêné.

— A propos, Excellence, dit enfin Li en levant les yeux, comment avance votre enquête sur le meurtre du temple ? Avez-vous réuni assez de preuves pour inculper le vagabond ?

— Nous progressons de façon très satisfaisante, répondit le juge Ti d'un ton détaché. Lentement mais sûrement, voyez-vous.

Le juge but une gorgée de thé pour signifier à son hôte qu'il était temps de prendre congé.

Li Ko s'apprêtait à se lever quand il se frappa soudain le front.

— Suis-je bête ! Je voulais vous en parler en arrivant, Excellence, et j'ai failli complètement oublier ! Après votre départ, hier je me suis brusquement souvenu que j'avais déjà vu ce petit coffret d'ébène que vous m'avez montré.

— Tiens, tiens... dit le juge, c'est intéressant ! Quand et où vous l'êtes-vous procuré, Monsieur Li ?

— Il y a environ six mois, Excellence ; je le tenais d'un vieux mendiant. Il est venu chez moi et m'a supplié de lui en donner quelques sapèques. Il était tout maculé de boue, et je n'ai donc pas vu le disque de jade sur le couvercle. Il a prétendu l'avoir ramassé sur le talus, derrière le temple abandonné, près d'un terrier de lapin. J'étais occupé, et mon premier mouvement fut de le renvoyer. Mais il avait l'air si misérable que je lui ai pris le coffret en échange de cinq sapèques et je l'ai jeté dans un panier avec d'autres babioles. Par la suite, quand le vieil antiquaire de derrière le Temple de Confucius est venu m'acheter un tableau ancien, je lui ai vendu en prime le panier pour faire un compte rond.

— Merci, Monsieur Li. Je suis content de savoir enfin d'où vient mon coffret. Je vous remercie infiniment de m'avoir montré votre travail. Je vais garder ces rouleaux quelques jours et vous préviendrai dès que j'aurai fait un choix. Au fait, votre assistant est-il rentré ?

— Non, Excellence, mais il ne saurait tarder. Je me suis renseigné en ville et l'on m'a dit qu'il faisait la bringue avec deux joyeux compères. Et ça coûte cher !

— Je vois. Il se trouve que j'ai rencontré son ancien employeur, Wou, le préfet à la retraite. Il m'a dit qu'il avait renvoyé Yang parce que c'était un jeune débauché.

Le peintre releva la tête, l'air exaspéré.

— Wou n'est qu'un vieux croûton, Excellence, tout comme mon frère. Ils n'ont pas la moindre sympathie pour les individus qui ne se conforment pas strictement à leur conception vulgaire et desséchée de la vie.

— Eh oui, il faut de tout pour faire un monde. Le sergent va vous reconduire, Monsieur Li.

— Alors comme ça, ce coffret a été trouvé près du temple abandonné, Noble Juge ! s'exclama Ma Jong.

— Oui, répondit le juge d'un air songeur. C'est très curieux. Si Li ne ment pas, la disparition de Mademoiselle Jade aurait donc elle aussi un rapport avec le temple abandonné. Et s'il a eu l'intention de me raconter des histoires, pourquoi celle-là précisément ? (Le juge caressa lentement sa barbe pendant un moment.) Et qui lui aurait fourni la fausse information selon laquelle Yang ferait la fête avec deux amis ? Yang est mort !

Ma Jong haussa ses larges épaules.

— Cela n'est pas difficile à expliquer, Excellence. Comme je vous l'ai dit, j'ai rencontré Li hier alors que je faisais la tournée des tavernes. Et vous savez comment sont ces aubergistes : quand quelqu'un veut se renseigner sur quelqu'un d'autre, ils s'arrangent toujours pour s'en débarrasser en lui faisant une réponse des plus vagues. Ils détestent se voir mêler aux problèmes des autres. Ils en ont déjà bien assez avec les leurs !

— Je vais réfléchir à tout cela, Ma Jong. Tu ferais bien d'aller à l'Ermitage après neuf heures, ce soir. A cette heure-là, l'Abbesse aura terminé ses prières et sera endormie.

Le juge prit le passage à claire-voie qui longeait le patio des appartements de sa Première Epouse. Par une fenêtre ouverte le son d'un violon à deux cordes lui parvint, ponctué par le bruit mat d'un claquet en bois.

En pénétrant dans le salon obscur, il y découvrit un certain nombre de personnes réunies. Tout le monde était tourné vers la scène improvisée, au fond de la pièce : une sorte de paravent de sept pieds de haut environ, drapé de somptueux brocart rouge, surmonté d'un écran de fin tissu blanc qu'éclairait une lampe à huile disposée derrière. De petites silhouettes de couleurs vives évoluaient en tous sens derrière l'écran. De l'autre côté, parvenait la voix traînante du conteur, accompagnée par la musique animée du violon. Le juge Ti se dirigea sur la pointe des pieds vers un coin de la pièce, derrière le public. C'était le spectacle d'ombres chinoises que sa

Première Epouse avait promis aux enfants, en l'honneur de son propre anniversaire.

Ses trois épouses avaient pris place sur un banc juste devant la scène, ainsi que les enfants et leur nurse. Les servantes étaient assises derrière eux. En cette occasion exceptionnelle, on avait même laissé entrer les domestiques des cuisines. Tout ce petit monde suivait la pièce avec une profonde attention.

Croisant les bras, le juge regarda le spectacle pittoresque : les charmantes marionnettes, découpées dans du parchemin fin et peintes de couleurs translucides, étaient manipulées derrière l'écran grâce à des fils de fer. Par moments, le manipulateur les appuyait contre l'écran, si bien que l'on pouvait distinguer très précisément leurs profils expressifs, puis il leur faisait prestement traverser l'écran d'un bout à l'autre, donnant ainsi l'illusion qu'elles disparaissaient dans le lointain.

Comme d'habitude en de telles circonstances, la pièce était un pot-pourri de légendes où la Reine du Paradis occidental avait une place de choix. A présent, elle s'adressait à la cour des fées, debout sous l'Arbre du Paradis sur lequel poussaient les pêches de l'immortalité, peintes en rouge vif. Agitant en tous sens ses longues manches, on aurait dit un grand papillon chamarré. Puis le singe blanc qui voulait voler les pêches fit son apparition. Les enfants applaudirent en clamant haut et fort leur approbation enthousiaste quand le singe fondit sur sa proie fabuleuse.

La réalité, pensa le juge, était nettement plus

compliquée que cette pièce d'ombres chinoises. Les événements y prennent des proportions insoupçonnées ; les mobiles sont estompés par des développements imprévus ; les plans les plus soigneusement échafaudés échouent à cause d'une ironie du sort ; des projets astucieusement élaborés se retrouvent pris dans la diversité infinie des comportements humains. C'est pourquoi il ne fallait pas chercher à interpréter les faits sur la base d'un prétendu plan parfaitement conçu et organisé par le meurtrier du temple abandonné. Il devait compter avec une grande marge d'erreur et de coïncidence fortuite.

Le juge hocha lentement la tête. A cette lumière, il se dit qu'il pourrait émettre une hypothèse sur la raison pour laquelle on avait découvert le coffret d'ébène à proximité du temple. Alors les points qui lui avaient semblé incongrus dans le message de Mademoiselle Jade trouveraient eux aussi une explication logique. Juste ciel, si son hypothèse était fondée, le récit de Li sur la façon dont il était entré en possession du coffret serait la plus étrange fantaisie du destin qu'il ait rencontrée !

Le bruit sec et sonore du claquet de bois annonça la fin du premier acte. Le juge s'empressa de se glisser au-dehors.

XVI

Un Nuage fait le printemps de Ma Jong ;
un fantôme lui fait des avances.

Comme il allait se rendre au temple abandonné pour la seconde fois, Ma Jong jugea qu'il
serait judicieux d'explorer ses abords par l'arrière. Il quitta donc la ville par la porte du Nord.

Il découvrit sans difficulté le sentier de la
colline. Il se ramifiait cependant à mi-pente,
l'obligeant à revenir sur ses pas à plusieurs
reprises avant de trouver le chemin de la petite
clairière, au sommet de la colline. Il s'y arrêta
quelques instants pour y jouir du spectacle de la
ville, avec toutes ses petites lumières scintill-
lantes.

A peine entré dans le bois, il découvrit Fang,
le jeune sbire, assis contre un arbre. Il informa
Ma Jong que son collègue surveillait l'escalier,
de l'autre côté de la colline. Après lui avoir
indiqué le sentier qui menait à l'Ermitage, il
retourna à son poste.

Ma Jong ne tarda pas à apercevoir le portail
laqué de rouge de l'Ermitage. Le mur d'enceinte
n'était pas très haut et, autant qu'il pouvait en
juger dans la pénombre, les tuiles qui le surmon-

taient étaient neuves et donc solides. Escalader ce mur ne présentait aucune difficulté, mais il décida d'attendre le moment où les nuages qui cachaient la lune se seraient dissipés : une tuile déplacée ferait beaucoup de bruit dans le silence de la nuit. Fouillant dans les taillis, il ramassa une demi-douzaine de grosses pierres qu'il empila au pied du mur, à gauche du portail. Dès que la lune apparut, il grimpa sur le tas et se hissa en haut du mur. Le toit de la maison de la servante se trouvait juste au-dessous, comme le lui avait dit le Roi des Mendiants. Il rampa un peu plus loin avant de sauter lestement dans la cour pavée. Après avoir jeté un rapide coup d'œil en direction de la fenêtre allumée des appartements de l'Abbesse, il se dirigea furtivement vers la porte du petit bâtiment et frappa quatre coups discrets.

Comme rien ne semblait bouger à l'intérieur, il frappa de nouveau, l'oreille collée contre la porte. Le glissement feutré d'un pied nu se fit entendre. La porte s'ouvrit et Ma Jong pénétra prestement dans une petite pièce éclairée par une chandelle posée sur une table en bambou.

— Qui êtes-vous ? chuchota la fille après avoir tout doucement refermé la porte.

Elle portait une légère robe de nuit, et il sembla à Ma Jong qu'elle avait un visage rond, encadré d'une chevelure en bataille. Il sortit de sa manche le signe de reconnaissance et le déposa au creux de sa petite main chaude.

— Je m'appelle Chao-pa, dit-il. Je suis un cousin de Seng-san. Je viens de la part du

Roi ; il m'a dit que vous vous appeliez Nuage de Printemps.

La jeune fille se dirigea vers la petite table et examina le cube de bois à la lueur de la chandelle. Il y avait un miroir de métal rond sur un socle en bois ainsi qu'un peigne édenté. Ce devait être sa table de toilette. Ma Jong jeta un rapide coup d'œil au mobilier. Un simple châlit recouvert d'une natte de jonc élimée était poussé contre le mur ; devant la couche, une chaise de bambou bancale était l'unique siège de la pièce. Il aperçut sur une étagère tout en haut du mur un panier à thé, une cuvette en cuivre et une petite lanterne. L'odeur d'un parfum de mauvaise qualité flottait dans l'air confiné de la chambre.

— Petit mais confortable ! remarqua Ma Jong.

— Gardez vos réflexions pour vous !

La jeune fille s'avança pour tirer de sous le lit une table basse. Après l'avoir posée sur la natte de la couche, elle s'assit en tailleur juste à côté et fit signe à Ma Jong de s'asseoir en face d'elle. Il ôta ses bottes et suivit son exemple. La natte avait gardé la chaleur de son corps. Ils se faisaient face sans mot dire, séparés par la petite table.

Ma Jong constata avec plaisir que maintenant qu'elle avait repoussé les mèches de son front, elle était très mignonne, tout à fait le genre qu'il aimait : un charmant petit minois tout rond avec des yeux coquins, des fossettes plein les joues et une bouche charnue, corail. Tout en s'amusant à deviner le contour de ses fesses fermes et

rebondies sous sa robe légère, il adressa en
remerciement une prière muette au Dieu de la
Guerre. Un sourire éclaira soudain le visage de
la fillette.

— Vous n'êtes pas si jeune que ça, mais vous
êtes mieux que la plupart des amis de mon père,
Chao-pa !

— Tiens, tiens ! s'exclama Ma Jong. Alors
comme ça tu es la fille du Roi ! Enchanté de
travailler avec vous, Princesse ! Je suis censé
t'aider à récupérer l'or, vois-tu. Explique-moi
un peu comment ton père a découvert tout cela.
En général, Seng-san était plutôt discret —
quand il était encore de ce monde.

— C'est très simple. Mon père a enseigné la
boxe à Seng-san, autrefois. C'est pour ça qu'il
passait le voir de temps en temps. Il lui a promis
aussi une part du butin.

— Combien Seng-san devait-il toucher ?

— Un tiers et Yang deux tiers. C'est normal,
Yang avait refilé le tuyau à ton cousin. Il n'avait
pas envie de chercher cet or tout seul, car le gars
qui était à l'origine du coup était un dur de dur,
d'après eux. Yang avait peur de lui ; et il n'avait
pas tort en plus ! Vu que le salopard a tué ton
cousin et fait disparaître Yang dans la nature !
Après ça, j'ai annoncé à mon père que je ne
voulais plus fouiller le temple toute seule en
pleine nuit. Très peu pour moi, merci bien !

— Ça me ferait plaisir de mettre la main sur
ce fils de chien qui a tué Seng-san ! Son frère,
Lao-wou, est en taule à Tong-kang, alors c'est
moi qui dois m'occuper de l'affaire.

— Quant à moi, mon père m'a demandé de

190

me faire engager par cette vieille garce pour pouvoir surveiller le temple. Je ne critiquerai pas ton cousin, tu sais, mais mon père pensait qu'il fallait le tenir à l'œil.

— Le Roi avait parfaitement raison ! Ce que je ne pige pas, c'est pourquoi le lascar qui a caché l'or dans le temple ne l'a pas récupéré lui-même pour filer ensuite. Pourquoi l'a-t-il laissé là jusqu'à l'intervention de Seng-san et de Yang ?

La fillette haussa ses jolies épaules.

— Eh bien, il l'a caché parce qu'il l'a volé quelque part, et il l'a si bien caché qu'il n'a pas réussi à le retrouver ! Et ce n'est pas faute d'avoir essayé en tout cas ! J'ai passé tout ce foutu endroit au peigne fin et je peux te dire qu'il n'a pas chômé ! Il a défoncé tous les sols. Je suis même allée fouiner dans les appartements de ma patronne...

— Ciel, Princesse, vous n'allez tout de même pas soupçonner une pieuse Abbesse, n'est-ce pas ?

— Tant que j'ignore qui détient cet or, je ne fais confiance à personne. Et quant à être pieuse, la vieille garce est d'une nature foncièrement méchante, frère Chao. Si elle est de mauvaise humeur, elle la passe sur moi avec une baguette de jonc. « Baisse ton pantalon, penche-toi pour le Bouddha et prie pour l'amélioration de ton caractère ! » qu'elle dit chaque fois avant de me rosser en comptant de la main gauche les coups sur son chapelet ! Et tu appelles ça de la piété, frère Chao ? (Elle cracha par terre.) Bon, maintenant que tu es là, je veux bien faire encore un tour au temple. Je vais te montrer le plan.

Elle sortit un bout de papier plié de sous la natte et le défroissa avec application.

— Regarde, voilà la grande salle, au milieu. C'est par là que nous commencerons.

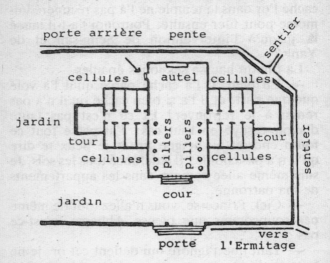

Ma Jong étudia le plan. Il correspondait exactement à la description que lui avaient faite le juge Ti et le sergent Hong.

— Vous vous êtes bien débrouillée, Princesse !

— Qu'est-ce que tu crois ? C'est pas la première fois que je fais un plan. Dès que je me fais engager dans une bonne maison, je fais un plan des lieux. Juste pour que les amis de mon père ne se perdent pas en allant y faire une petite visite nocturne. Tu vas bien te mettre ce plan dans la tête, Frère Chao. On a encore une heure ou deux à attendre, on ne peut pas sortir avant que l'Abbesse ne soit complètement endormie.

— J'aimerais utiliser cette heure à faire plus ample connaissance avec vous, Princesse ! Il ne faut jamais accepter un boulot avant de bien connaître son partenaire, à ce qu'on dit !

— Le boulot avant le plaisir, répondit-elle d'un ton décidé. Descends du lit et apprends ton plan ! Pendant ce temps-là, je vais me changer. Retourne-toi et ne lève pas les yeux de ce papier !

Ma Jong se leva et se tint debout devant la table de toilette, dos au lit. La jeune fille ôta sa robe de nuit et, à genoux, farfouilla derrière la couche pour en sortir un pantalon bleu foncé et une veste. Au moment de les enfiler, elle hésita une seconde et contempla le large dos de Ma Jong d'un air songeur. Elle sourit légèrement, s'agenouilla sur sa robe de nuit et entreprit de se coiffer. Estimant qu'à présent le spectacle devait être assez charmant, elle s'exclama :

— Ne te retourne pas encore !

— Pour quoi faire ? demanda Ma Jong. Je me débrouille très bien avec ce miroir ; tu es très jolie aussi vue sous cet angle !

— Espèce de cochon !

La jeune fille sauta du lit et se jeta sur Ma Jong en essayant de le griffer au visage. Le lieutenant du juge Ti la prit dans ses bras.

193

Rencontre nocturne

Quand elle se fut rhabillée, elle descendit la petite lanterne de l'étagère.

— On ne l'allumera que lorsque nous serons entrés dans le temple, dit-elle. Cet après-midi, j'ai surpris deux types qui rôdaient près du portail, on aurait dit des sbires, postés là depuis l'assassinat de ton cousin. Donc le gars qui l'a buté ne s'aventurera pas dans le coin cette nuit. Mais il se pourrait bien que l'on tombe sur le fantôme.

— N'essayez pas de faire de l'esprit, Princesse !

— Je ne plaisante pas. Il y a bel et bien un fantôme là-bas. Je l'ai vu deux fois de mes propres yeux, flottant entre les arbres. C'est une grande femme, vêtue d'un drap blanc à vous donner la chair de poule ! Je n'aime pas trop les fantômes, mais celui-là n'est pas méchant. Un jour, j'ai failli me cogner dedans. Elle ne m'a rien fait du tout et s'est contentée de me regarder avec de grands yeux tristes avant de disparaître.

— Triste ou pas, je n'aimerais pas la rencontrer. Mettons-nous en route ! Je vais te faire éviter les sentinelles ; j'étais dans les « vertes forêts » quand j'étais jeune...

La jeune fille souffla la chandelle et entrebâilla la porte.

— Bizarre, bizarre... murmura-t-elle. La chambre de la vieille garce est encore éclairée.

— Elle lit probablement ses prières !

— Et à haute voix à ce qu'on entend ! Bon, on y va quand même. Si elle s'aperçoit que je suis sortie, je fais mon baluchon. Elle tannera les fesses d'une autre !

Ils traversèrent la cour à pas de loup. La jeune fille leva tout doucement la barre, ouvrit le portail et le bloqua avec une pierre pour qu'il ne se referme pas derrière elle. Ils prirent le chemin de la forêt. Arrivés à la lisière, Ma Jong lui recommanda de rester juste derrière lui et de faire exactement ce qu'il faisait. Il scruta les arbres en direction de l'escalier pour essayer de repérer le sbire en faction. Ce serait fâcheux de se faire remarquer. Ah ! Le voilà ce paresseux, endormi sous un cyprès ! Bon, en tout cas, cela facilitait les choses. Il allait entraîner Nuage de Printemps à sa suite, quand il se figea sur place. Il y avait quelque chose d'étrange dans la façon dont l'homme avait replié les genoux et ouvert les bras. Ma Jong marcha rapidement vers le sbire immobile et se pencha sur lui.

— Est-ce qu'il... est-ce qu'il est mort ? murmura Nuage de Printemps.

— Etranglé par-derrière avec une fine cordelette, maugréa-t-il d'une voix lugubre. Rentre chez toi, Princesse. Maintenant, c'est une affaire d'hommes ; l'assassin est revenu.

Elle saisit Ma Jong par le bras.

— Je reste avec toi. J'ai déjà assisté à des bagarres. Si tu dois en venir aux mains avec lui, je peux toujours lui fracasser le crâne avec une pierre.

— Comme tu voudras ! La crapule se trouve probablement dans la grande salle, il vaut donc mieux éviter l'entrée principale. On passera par

196

la porte de derrière en escaladant le mur extérieur par l'arrière.

— Oui, il y a une brèche dans la muraille, suis-moi, je vais te montrer !

Ils longèrent le mur extérieur, tournèrent le coin puis suivirent le sentier qui longeait le mur latéral du temple. Arrivés dans la petite clairière à l'angle nord-est, Ma Jong fit une halte.

— Attends ici un moment, chuchota-t-il. Je vais aller en reconnaissance.

Ma Jong se dirigea vers les grands arbres en cherchant des yeux le jeune sbire, Fang. Il s'enfonça dans la clairière jusqu'à l'endroit où le chemin redescendait la colline sans découvrir la moindre trace de Fang. Il siffla discrètement. Le silence était complet. Ma Jong jura entre ses dents, quand soudain il eut le sentiment désagréable d'être épié. Un nuage passa devant la lune. Il scruta les ténèbres : apparemment, rien ne bougeait sous les grands chênes. Il retourna auprès de Nuage de Printemps.

— Il n'y a personne dans les parages, dit-il. Tu vas rester ici, il vaut mieux que j'aille d'abord jeter un œil vers le mur de derrière. Je reviendrai te chercher si la voie est libre, et tu me montreras la brèche par où passer.

Ma Jong tourna le coin en s'appuyant aux vieilles briques de la muraille d'enceinte. Il n'y avait pas âme qui vive dans le long chemin étroit. Sur la droite, la colline descendait en pente raide, couverte d'épais taillis et çà et là de gros rochers moussus.

Arrêté à l'angle, il examina le sommet du mur. Les briques s'étaient effondrées par endroits, mais il ne put distinguer la brèche dont lui avait parlé Nuage de Printemps. A l'autre extrémité, au-delà de la tour ouest qui se découpait dans la nuit, il avisa un ouvrage en pierre qui indiquait l'angle opposé du mur d'enceinte, où se trouvait le vieux puits. Ils pourraient toujours se diriger dans cette direction s'il le fallait et...

Ma Jong se pencha en avant. Dans les ténèbres, à l'autre extrémité de la muraille, il aperçut une forme blanche. N'en croyant pas ses yeux, il avança de quelques pas, avant de se figer sur place. La dame blanche lui faisait signe d'approcher de sa longue main fuselée.

XVII

*Ma Jong court après
un adversaire invisible ;
un assassin perd la tête.*

Médusé, Ma Jong ne pouvait détacher les yeux de l'apparition. Puis il lui vint brusquement à l'esprit que la veille déjà, le fantôme l'avait conduit jusqu'au sentier caché. Ne voudrait-elle pas maintenant... ? Il dévala le sentier en courant.

— Frère Chao, je..., s'écria Nuage de Printemps derrière lui.

Soudain, le fantôme leva les bras au-dessus de sa tête. La lune brillait à travers ses longues manches argentées. Ma Jong s'arrêta net, ne sachant que penser de ce geste menaçant. La jeune fille se heurta à lui. Au même moment, la partie supérieure de la muraille s'effondra, juste devant lui.

Pendant l'espace d'un instant, Ma Jong fut incapable de bouger, contemplant bouche bée l'amas de briques et de pierres qui obstruait le chemin.

— Que s'est-il passé ?... Qu'est-ce... ? haleta la jeune fille.

— Ça nous était destiné ! susurra-t-il. Reste ici !

Il grimpa vivement sur le tas de briques. De là il put s'agripper aux arêtes de la brèche, un peu plus haut dans la muraille. Il se hissa, grimpa sur le mur et se laissa tomber dans l'arrière-cour du temple juste à temps pour voir une silhouette noire disparaître par la petite porte de la grande salle.

Ma Jong se rua vers la porte, se jeta à quatre pattes et se glissa précipitamment à l'intérieur. Il s'accroupit, le dos au mur, dans l'encadrement de la porte, sur la droite, prêt à attraper l'autre par la jambe s'il s'était caché là. Mais rien ne bougea dans le noir. Il explora prudemment à tâtons l'espace alentour, mais ses mains ne rencontrèrent que le vide. Il aperçut une faible lueur à l'autre bout de la pièce. Ce devait être le lattis des six panneaux de la porte d'entrée. L'odeur nauséabonde de la veille lui parvint de nouveau aux narines. Seul le battement des ailes d'une chauve-souris affolée vint troubler le silence. Pourtant, l'assassin devait être là, quelque part dans cette pièce obscure. C'est là qu'il allait falloir lui régler son compte. Ma Jong pensa avec un sourire narquois qu'il avait l'avantage, même si l'assassin était armé : ce n'était pas son premier combat dans le noir, et il en connaissait toutes les feintes. En outre, grâce à sa précédente visite et au croquis de Nuage de Printemps, il avait une idée parfaitement claire des lieux.

Ma Jong rampa le long du mur avec mille précautions, progressant pouce par pouce jusqu'au coin gauche, frottant de son épaule la paroi rugueuse, les muscles tendus, à l'écoute du moindre bruit.

Parvenu au coin de la salle, un tissu lui frôla soudain la main gauche. Il plongea en avant, tendant ses longs bras pour attraper les jambes de son adversaire. Mais il n'y avait rien, et il vint violemment buter de la tête contre le mur. A demi étourdi, il perçut un bruit de pas précipités, juste en face de lui, suivi d'un cliquetis de métal sur la pierre. Son adversaire avait donc une épée. Il resta absolument immobile pendant un moment, puis il tâtonna autour de lui et comprit ce qui s'était passé. Ce qu'il avait pris pour un morceau de tissu n'était autre que des toiles d'araignée, raidies par la poussière.

La tête lui tournait, mais il savait qu'il devait quitter ce coin le plus vite possible. La porte latérale ouvrant sur les cellules des moines ne pouvait être loin. Après avoir longé le mur un moment, ses doigts rencontrèrent la surface rêche du bois. Maintenant, il lui fallait foncer vers la niche où étaient suspendues les armes rituelles. Oui, il y avait bien deux gros manches : les deux hallebardes étaient toujours là, mais il n'y avait qu'elles. Il savait à présent quelle était l'arme de son ennemi : la seconde hache tartare. Il se dit qu'il avait de la chance, car il est difficile de se battre à la hache dans le noir, alors que la hallebarde est une arme extraordinaire dans ces conditions. Il savait la manier : de plus de dix pieds de long, la pointe pouvait pénétrer une cuirasse de cuir, la lame acérée fendre un crâne en deux et le redoutable crochet de l'autre côté servir à désarçonner un cavalier ou à terrasser un fantassin. Et il en avait deux, une pour se battre, l'autre pour reconnaître le terrain ou pour tendre un piège. Il se redressa et descendit sans bruit les hallebardes de la niche, les manches en l'air.

Ma Jong resta dans cette position, sans bouger, attendant que se dissipât sa violente douleur à la tête et cherchant à se repérer. Il se trouvait à présent près de la dernière colonne de la rangée à gauche de l'entrée. A sa gauche, il y avait l'espace vide face à l'autel. Braquant en avant la hallebarde qu'il tenait à la main droite, il explora le sol à ses pieds. Ne rencontrant aucun obstacle, il se retourna et s'assura qu'il n'y avait personne entre la rangée de colonnes et le mur. Brandissant les deux hallebardes, il marcha tout doucement vers le centre de la pièce et se tint face à l'entrée.

Le rectangle composé par les six panneaux de lattis se détachait très distinctement. L'autre allait naturellement éviter le centre de la salle entre les deux rangées de colonnes, car il pourrait être vu à contre-jour. Il devait forcément se cacher derrière la rangée située à droite de l'entrée, soit à la gauche de Ma Jong. Un fin sourire illumina son visage.

Il se dirigea à pas feutrés vers la gauche jusqu'à ce qu'il eût atteint la dernière colonne, devant laquelle il se posta. Il y appuya une des hallebardes et saisit fermement l'autre à deux mains. Il ferait alors tomber la première de manière qu'elle coupe toute retraite derrière les colonnes. Son adversaire serait obligé de se montrer et Ma Jong pourrait le voir distinctement devant les panneaux de lattis. Ensuite, il le maîtriserait avec la hallebarde qu'il n'aurait pas lâchée.

Soudain, il retint son souffle. Il avait cru entendre un petit bruit de l'autre côté de la colonne qui lui faisait face. Une haute silhouette noire se lança alors brusquement en avant, heurtant la hallebarde qu'il tenait à deux mains, et se rua vers la porte d'entrée. Ma Jong plongea son arme en avant, mais pas assez rapidement, et le fuyard lui échappa de justesse. Il lâcha la hallebarde en poussant un juron et s'élança à sa poursuite. La silhouette noire s'arrêta devant la porte. Un objet lourd siffla aux oreilles de Ma Jong et se fracassa par terre derrière lui. Puis l'homme ouvrit un panneau d'un coup de pied. Ma Jong se précipita en avant pour l'attraper, et se prit le pied dans une corde, tombant face contre terre. Il se releva et se rua dans la cour où il eut le temps d'apercevoir quelque chose bouger près du grand portail vers lequel il courut. Là, il n'entendit plus qu'un sourd bruit de pas dans l'escalier en contrebas. Son adversaire lui avait échappé.

Jurant par tous les diables, Ma Jong essuya son visage en sang. Une grosse bosse était en train de se former sur son front. Il retourna au temple où il récupéra la hallebarde avec laquelle il démolit furieusement les panneaux de la porte. C'est alors qu'il constata que la corde dans laquelle il s'était pris les pieds était en réalité une échelle de corde, tressée avec plusieurs cordelettes fines et résistantes. Une des extrémités était pourvue de deux gros crochets de fer. Un peu plus loin, au pied de la dernière colonne, il découvrit la hache tartare que l'autre lui avait lancée.

Il quitta la salle par la porte de derrière. Nuage de Printemps était assise dans la brèche, serrant la lanterne contre elle. Il grimpa vers la jeune fille, embrassa son visage baigné de larmes et l'aida à redescendre de l'autre côté.

— Ce fils de chien s'est enfui, Princesse ! Tu as vu le fantôme ?

— Le fantôme ? Non, je n'ai rien vu. J'ai eu une trouille bleue. Hé ! quelle tête tu as ! Laisse-moi te nettoyer la figure.

— T'inquiète pas ! Je vais te ramener à l'Ermitage et je reviendrai par ici pour essayer de retrouver ce maudit fantôme.

Il lui passa le bras autour des épaules et reprit le chemin de l'Ermitage.

— Tu auras bientôt de mes nouvelles, Princesse, dit-il.

Il la fit entrer et regarda machinalement vers les appartements de l'Abbesse : la fenêtre était éteinte.

Il remonta son pantalon d'un geste plein de distinction et gagna la clairière où il avait aperçu Fang, assis sur une souche. Il siffla dans ses doigts. Seul le ululement d'une chouette lui répondit. Après avoir allumé sa lanterne d'un air contrarié, il entreprit de fouiller systématiquement tous les buissons, jurant grossièrement chaque fois que les épines lui déchiraient le pantalon. Il savait que Fang ne se serait jamais éloigné de son poste d'observation.

Après s'être frayé un chemin à travers un buisson d'aubépines, il déboucha dans une clairière, devant un bouquet de grands ifs. Alors qu'il s'apprêtait à la traverser, il mit le pied droit dans un trou et tomba la face contre une grosse pierre ronde.

— C'est la troisième fois que ça m'arrive cette nuit ! maugréa-t-il en se relevant.

Ma Jong ramassa la lanterne en soupirant et la ralluma à son briquet d'amadou. Il sursauta brutalement : ce qu'il avait pris pour une pierre couverte de mousse était une tête d'homme mutilée.

L'estomac retourné, il dirigea néanmoins le faisceau de la lanterne sur le visage déformé et poussa un soupir de soulagement.

— Le Ciel soit loué !

Ce n'était pas Fang, ce visage lui était totalement inconnu.

Il examina attentivement le trou. Il était récent, la terre avait été fraîchement retournée. Puis il porta ses regards sur la chose répugnante, à ses pieds.

— Grands dieux ! Ce doit être la tête de Yang enterrée là par l'assassin ! Mais pourquoi l'a-t-il déterrée ?

Ma Jong leva la lanterne et scruta les ifs. Un homme était étendu dans les hautes herbes au pied des arbres, un casque de sbire écrasé posé auprès de sa tête. Etouffant un juron, Ma Jong se pencha vers l'homme et lui posa la main sur la poitrine. Fang était encore en vie.

Le lieutenant du juge Ti tourna délicatement la tête du jeune sbire inconscient. Il avait une blessure béante à la base du crâne. Il lui palpa la tête alentour en écartant doucement les cheveux collés en paquets.

— Il a quand même dû frapper très fort, maugréa-t-il. Autant que je puisse en juger, le crâne n'a pas été atteint. Ces casques sont d'une étonnante solidité. Il a perdu beaucoup de sang, mais c'est toujours le cas pour les blessures à la tête. (Ma Jong ramassa le casque.) Oui, la crapule l'a frappé avec la hache tartare. Son casque lui a probablement sauvé la vie, mais il n'y a pas de temps à perdre. Je vais aller chercher l'Abbesse tout de suite et mettre sa pharmacie à sac.

Ma Jong courut jusqu'à l'Ermitage.

Après avoir raclé une brique contre le portail pendant un temps infini, le judas s'ouvrit enfin. A travers la grille, il découvrit le visage stupéfait de Nuage de Printemps, et celui de l'Abbesse derrière elle. Il se baissa pour sortir de sa botte ses papiers d'ìdentité qu'il plaça devant le judas.

— Je suis Ma Jong, expliqua-t-il. Un des lieutenants du juge Ti, Mère Abbesse. J'ai découvert dans les bois un blessé qu'il faut soigner au plus vite.

— Ouvre ! ordonna l'Abbesse à sa servante.

Une fois dans la cour, Ma Jong exposa la situation à la religieuse.

— Heureusement, j'ai une pharmacie très bien fournie, dit-elle en hochant la tête avec gravité. Soigner les malades et les blessés fait partie de nos devoirs religieux. La servante va vous conduire à la cuisine. Le paravent de bambou qui s'y trouve vous servira de civière.

Elle va vous aider à transporter le blessé jusqu'ici ; elle a de la force. Moi, je m'occuperai de lui ; je vais déjà lui préparer un lit dans la petite pièce.

A peine eurent-ils pénétré dans la cuisine que Nuage de Printemps foudroya Ma Jong du regard.

— Sale menteur ! siffla-t-elle entre ses dents.

Ma Jong ne sut que répondre à cela. Le Dieu de la Guerre l'avait mis dans un beau pétrin ! Ils prirent le paravent de bambou sans mot dire, quand elle lui jeta un regard en coin et déclara brusquement :

— Mais pour un sale menteur, tu es plutôt mignon !

— Merveilleux ! s'exclama Ma Jong avec un grand sourire. Tu es magnanime ! Une vraie princesse !

Dans son cabinet de travail, le juge Ti parcourait un dossier sur l'administration fiscale de son district en compagnie du sergent Hong.

— Juste ciel ! Que t'est-il arrivé ? s'écria le juge en voyant la grosse bosse qui ornait le front de Ma Jong et ses vêtements sales et déchirés. Sers-lui une tasse de thé chaud, Hong !

Ma Jong dégusta son thé avec grand plaisir avant de commencer son récit.

— L'Abbesse a parfaitement bien nettoyé la blessure de Fang, Excellence, conclut-il. C'est une femme remarquable ; elle est restée d'un calme étonnant d'un bout à l'autre. Après lui avoir passé un onguent sur sa blessure et fait ingurgiter de force un remède, Fang a repris connaissance. Il a expliqué qu'il avait remarqué qu'un trou avait été fraîchement creusé dans la clairière. Au moment même où il découvrait la tête de Yang, on l'a frappé par-derrière. L'Abbesse lui a donné un calmant, et il dormait paisiblement quand nous l'avons quitté. Elle pense que si la fièvre ne se déclare pas au cours de la nuit, il sera bientôt tiré d'affaire. (Ma Jong vida sa septième tasse de thé et ajouta :) Je n'ai pas encore révélé au chef des sbires le meurtre de son homme, Excellence. Comment allons-nous leur annoncer cette mauvaise nouvelle ?

— Demande au chef des sbires de rassembler ses hommes au corps de garde, Ma Jong. Ensuite, tu leur diras de ma part que je leur donne ma parole d'honneur que le meurtrier sera châtié. Ajoute qu'il y va de leur intérêt que le plus grand silence soit respecté. Puis ordonne au chef des sbires de se rendre au temple avec une civière pour y chercher le cadavre ainsi que la tête de Yang.

Ma Jong acquiesça et sortit. Le juge se caressa la barbe en silence pendant un moment, puis il dit au sergent Hong :

— Nous avons perdu un homme et un autre a été grièvement blessé. Si les deux indices découverts sont importants, le prix en est néanmoins élevé, Sergent Hong.

Le juge posa les coudes sur la table et, perdu dans ses pensées, regarda sans les voir les documents étalés devant lui. Puis il releva brusquement la tête et demanda :

— Pourquoi le meurtrier est-il tout d'un coup si pressé ? Pendant des mois il s'est contenté de passer patiemment le temple au peigne fin. Et maintenant, en l'espace de deux jours, il commet tout d'abord un double meurtre, puis il essaye par deux fois de tuer Ma Jong, assassine un sbire et en blesse un autre ! Pourquoi cette précipitation soudaine ?

Le sergent Hong secoua la tête l'air contrarié.

— Pour une raison que nous ignorons, Excellence, l'homme s'est senti aux abois. Agresser un fonctionnaire impérial n'est pas une mince affaire. Chacun sait que les autorités n'auront de cesse d'avoir retrouvé le coupable et qu'il sera exécuté avec toute la sévérité prévue par la loi. C'est la raison pour laquelle les sbires peuvent encore faire leur travail avec un gourdin pour toute arme. Si l'on vient à apprendre que quelqu'un a eu l'audace d'agresser un sbire dans l'exercice de ses fonctions, la sécurité de tout le personnel s'en trouvera affectée, Excellence.

— Oui, j'ai pensé à cet aspect des choses, Hong. C'est pourquoi j'ai dit à Ma Jong d'exiger des sbires un silence absolu.

Le juge se perdit dans de sombres pensées.

Quand Ma Jong fut de retour, le magistrat se reprit. Se redressant sur son siège, il déclara d'un ton animé :

— L'or doit être caché dans un endroit élevé, autrement le meurtrier n'aurait pas apporté d'échelle de corde. Deuxièmement, nous savons à présent que trois parties au moins sont après cet or. A savoir, le meurtrier qui a organisé le vol, Yang et Seng-san qui sont intervenus ensuite, et le Roi des Mendiants auquel Seng-san a promis une part sur sa propre part du butin. Comme je viens de l'expliquer au sergent Hong, il y a une chose qui me tracasse au plus haut point : la soudaine précipitation du meurtrier. Je me demande si l'on ne pourrait pas l'expliquer par l'entrée en scène d'un personnage absolument nouveau, un individu n'ayant rien à voir avec le vol de l'or. Toutefois, cette idée est purement intuitive. Enfin, reste le problème du fantôme. Jusqu'à ce soir, j'avais décidé que cette apparition n'était que le fruit de l'imagination de personnes superstitieuses. Ma Jong lui-même n'était pas sûr de l'avoir réellement vue hier. Mais cette nuit, il l'a vue distinctement, et il l'a même vue prendre une part active dans la tentative de meurtre sur sa personne. Donc dorénavant, nous devrons tenir pleinement compte de cette apparition. Qu'en penses-tu, Ma Jong ?

Ma Jong secoua la tête d'un air maussade.

— Peu importe ce qu'est ou qui est ce revenant, Excellence, il est complice du meurtrier. L'autre jour, il ne m'a pas montré le chemin vers le puits pour me venir en aide, comme je l'ai bêtement cru. Il a voulu m'envoyer à l'autre bout du jardin, où le meurtrier m'attendait derrière la brèche du mur. Quand ils m'ont vu descendre au fond du puits, ils ont pensé qu'en me tuant là ils n'auraient pas à se soucier de mon cadavre. Cette nuit, ce maudit spectre m'a encouragé à avancer, en détournant toute mon attention sur lui, pour que je ne m'aperçoive pas que le meurtrier était en train de démolir le haut de la muraille effondrée. Mais il a fait une grave erreur en levant brusquement les bras pour prévenir le meurtrier que je me trouvais exactement au bon endroit. Son geste m'a fait peur. Je me suis arrêté net, et cela m'a sauvé la vie — à un cheveu près !

Le juge Ti hocha la tête. Il consulta ses notes puis demanda :

— Ne peux-tu me fournir une description plus précise du fantôme ?

— Eh bien, Excellence, c'est une femme, mais les deux fois je n'ai fait que l'entrevoir et chaque fois de loin, dans la lumière incertaine de la lune. Elle portait une robe de gaze légère, je crois, et un morceau de tissu identique autour de la tête, lui voilant le visage. Elle était grande, ça j'en suis sûr.

— Es-tu certain qu'il s'agisse d'une femme, Ma Jong ?

Ma Jong tirailla sa petite moustache.

— Tout le monde parle de la dame blanche... dit-il après un instant d'hésitation. Et cette robe longue... mais cela ne veut rien dire, c'est sûr, car un homme peut fort bien mettre une robe de femme... Et puis il y a aussi la silhouette : hanches larges et épaules étroites. Est-ce que j'ai vu sa poitrine, je me demande ? Oui... ou... ? (Il secoua la tête d'un air désespéré.) Je suis navré, Excellence, je ne me souviens pas du tout !

— Ne t'inquiète pas, Ma Jong ! L'essentiel est que nous savons à présent que c'est un être humain, en chair et en os. Bon, demain tu iras en premier lieu à l'Ermitage, Ma Jong, voir comment se porte Fang. Nous nous retrouverons ici, après le petit déjeuner. Nous devons intervenir, et très vite. Le meurtrier est aux abois, il peut frapper de nouveau à tout moment. Ouvre la fenêtre, Hong ! Il fait tellement lourd que j'ai bien peur que nous n'ayons de l'orage. Et ils peuvent être très violents en cette saison de l'année. Je vais rester ici encore un peu pour essayer de mettre de l'ordre dans mes pensées. Bonne nuit !

XVIII

Le juge Ti fait une découverte capitale ;
imprévisible mort
d'une grande devineresse.

Le violent orage qui avait éclaté sur Lan-fang quelques heures avant l'aube avait éclairci l'atmosphère. Quand le juge Ti, accompagné de sa Troisième Epouse, descendit dans le jardin faire sa promenade matinale, une légère brume flottait au-dessus de l'étang où une profusion de fleurs de lotus roses et blanches venaient d'éclore. Le juge décida de se faire servir le riz du matin dans le pavillon sur l'eau.

Le couple déjeuna en silence, jouissant de la fraîcheur matinale et de la beauté du site. Après quoi, appuyés à la balustrade laquée de rouge, ils jetèrent aux poissons rouges les quelques grains de riz oubliés dans leurs bols. Tout en les regardant évoluer gracieusement dans l'eau en se faufilant entre les grandes feuilles, la Troisième Epouse remarqua :

— Vous êtes rentré très tard cette nuit, et vous avez dormi d'un sommeil très agité, vous retournant sans cesse. Quelque chose vous a-t-il contrarié ?

— Oui, nous avons perdu un sbire, qui laisse

une femme et deux enfants, et un autre a été grièvement blessé. Mais je crois que nous approchons du dénouement de cette sinistre affaire. Il ne nous manque plus qu'un seul élément, et j'espère bien le découvrir aujourd'hui.

Elle l'accompagna jusqu'au portail, tout au fond du jardin.

Le juge trouva le sergent Hong et Ma Jong en train de l'attendre dans son cabinet de travail.

— Je rentre à l'instant de l'Ermitage, Excellence, dit Ma Jong après avoir souhaité le bonjour au magistrat. Fang se remet ; l'Abbesse pense que d'ici dix jours environ il ira tout à fait bien. Elle a proposé de le garder jusqu'à ce qu'il soit complètement rétabli.

— Voilà de bonnes nouvelles ! dit le juge en s'asseyant à son bureau. Oui, il vaut mieux que Fang reste à l'Ermitage pour l'instant. Bon, eh bien, cette nuit j'ai réfléchi aux différents aspects de notre affaire. J'ai décidé qu'aujourd'hui nous procéderions tout d'abord à une seconde fouille du temple abandonné ; puis nous ferons venir le Roi des Mendiants et sa fille pour un interrogatoire approfondi.

Ma Jong remua sur son siège.

— Pour être tout à fait franc, Excellence, fit-il après s'être raclé la gorge, j'ai eu l'impression que Nuage de Printemps servait un peu d'éclaireur à la bande de voleurs de son père.

— C'est ce que j'ai pensé aussi en voyant le plan qu'elle avait dressé du temple abandonné, remarqua sèchement le juge. (Il ouvrit le tiroir de son bureau et en sortit la feuille de papier. Il

214

la déplia soigneusement et ajouta :) Je dois avouer qu'il va nous être très précieux pour nous reconnaître sur place.

Ma Jong se leva et se pencha sur le bureau.

— Je peux vous montrer précisément sur ce plan la façon dont j'ai essayé d'attraper le meurtrier la nuit dernière, Excellence. Regardez, voilà la brèche par laquelle je suis entré. Je me suis glissé à l'intérieur par cette petite porte et...

Et Ma Jong entreprit de décrire avec force détails son combat dans le noir. Le juge l'écoutait d'une oreille distraite. Il tiraillait ses favoris en regardant fixement le plan.

— Alors je me suis pris les pieds dans cette fichue échelle de corde, poursuivit Ma Jong. Elle était ici, exactement à cet endroit. Et puis après...

Tout à coup, le juge frappa du poing sur la table, si fort qu'il en fit trembler les tasses à thé.

— Juste ciel ! s'exclama-t-il. Alors c'était donc ça ! Que ne l'ai-je vu tout de suite ? Si au cours de ma visite au temple je me suis fait une bonne idée de sa topographie, la ressemblance frappante m'a pourtant échappé !

— Qu'est-ce ?... commença le sergent Hong.

Le juge Ti repoussa son siège et se leva.

— Attends ! Il faut que je développe cette idée logiquement. Grâce à l'habileté de cette fillette, j'ai découvert l'élément manquant, mes amis ! Laissez-moi voir maintenant où il doit exactement s'insérer... Oui, un schéma clair se dégage enfin de toutes ces données éparses et confuses. Mais...

Le juge Ti secoua la tête avec impatience et se mit à arpenter la pièce, les mains derrière le dos.

Ma Jong souriait d'un air béat. Lors de sa visite à l'Ermitage, il avait trouvé le moyen de parler quelques minutes en tête à tête avec Nuage de Printemps et, à son avis, elle ne semblait pas opposée à l'idée de devenir sa petite amie en titre. Le fait qu'elle ait apparemment fourni au juge un indice capital pourrait jouer en sa faveur au regard de sa mauvaise conduite.

Le sergent Hong avait l'air ravi lui aussi, car il connaissait bien son maître : l'affaire en était arrivée à un moment crucial.

Un bruit de pas lourds et précipités retentit dans le corridor. Le chef des sbires fit irruption dans le cabinet.

— Le surveillant du quartier nord-ouest vient d'arriver en courant, Excellence ! haleta-t-il. Il y a du grabuge là-bas : les Tartares sont en train de lapider la sorcière. Quand ses hommes ont tenté de les arrêter, les coquins les ont repoussés à coups de bâton et en leur jetant des pierres...

Ma Jong questionna le juge du regard. Devant son acquiescement, il bondit sur ses pieds, sortit le gros fouet du ceinturon du chef des sbires et courut vers la porte.

Dans la cour des écuries, deux palefreniers étaient occupés à bouchonner un cheval. Ma Jong lui sauta sur le dos, à cru, et trotta jusqu'au portail.

Une fois dans la rue, il mit son cheval au galop. La foule s'écarta promptement en entendant le claquement des sabots sur les pavés et voyant approcher le cavalier. Les rues du quartier nord-ouest avaient un air désert des plus inquiétants. Au-delà des toits plats, Ma Jong vit un ruban de fumée s'élever dans le ciel et entendit des clameurs confuses.

Dans la rue de Tala, une foule en délire l'empêcha de passer. Quelques dizaines de Tartares se bousculaient en criant et jurant. Trois Indiens lançaient des torches enflammées sur le toit de la maison, acclamés par les femmes échevelées qui se tenaient en face, sur le seuil de leurs habitations. Ma Jong laissa retomber lourdement son fouet sur les dos nus et couverts de sueur des Tartares à sa portée, puis obligea son cheval à foncer dans la mêlée. Hurlant sa colère, la foule fit demi-tour pour lui faire face. Reconnaissant l'uniforme des officiers du tribunal, tout le monde recula dans un silence hostile.

Ma Jong sauta à bas de sa monture et se précipita vers la femme étendue au pied du mur en torchis, auprès de la porte. Le manteau long de Tala était réduit en lambeaux, maculé de sang, et de vilaines entailles apparaissaient sur ses bras blancs repliés devant son visage. Des pierres et des morceaux de bois jonchaient le sol autour d'elle.

Comme Ma Jong s'agenouillait à ses côtés, une brique lui siffla aux oreilles et vint s'écraser contre le mur. Il se retourna pour voir un Tartare à demi nu en ramasser une seconde. En un clin d'œil, Ma Jong s'était relevé et fonçait sur lui. Saisissant de la main gauche l'homme par les cheveux, il lui assena un coup de manche de fouet sur la nuque et repoussa du pied le corps inerte.

— Allez chercher des seaux d'eau et éteignez le feu ! cria-t-il à la foule agglutinée. Vous voulez que toutes vos maisons flambent ?

Tala avait éloigné le bras de son visage. Une plaie béante lui traversait le front et le côté gauche de son visage était affreusement mutilé.

— Je vais vous prendre sur mon cheval et vous emmener au… commença Ma Jong.

La femme le fixa de son unique œil injecté de sang.

— Brûlez… mon corps…, murmura-t-elle.

On entendit soudain un horrible craquement, suivis des cris de terreur de la foule. Le toit de la maison de Tala venait de s'effondrer. La grande tête du dieu redoutable apparut ; le visage rouge de la divinité était encore plus impressionnant, déformé par la lueur des flammes qui s'élevaient alentour.

Ma Jong prit la femme dans ses bras et s'éloigna du mur car des morceaux de bois enflammés tombaient du toit. Ses lèvres en sang remuèrent :

— Dispersez mes cendres…, dit-elle d'une voix à peine audible.

Il sentit son corps parcouru d'un long frémissement, puis il s'affaissa complètement dans ses bras.

Ma Jong hissa le cadavre de Tala sur son cheval. Le Tartare qu'il avait terrassé avait été emmené par ses amis. Les autres s'étaient agenouillés devant la maison de Tala, en proie à une indicible peur. Le dieu leur souriait sardo-

niquement à travers les flammes qui le consu-
maient.

— Levez-vous et éteignez le feu, espèces
d'imbéciles ! hurla Ma Jong.

Puis il enfourcha sa monture et regagna le
tribunal avec son lugubre fardeau.

Le juge écouta le récit de Ma Jong avec le plus
grand calme.

— Tala était condamnée depuis le jour où
elle a adopté cette doctrine de perdition. Ayant
décidé de ne pas intervenir dans les querelles
religieuses des Barbares étrangers, nous ne
prendrons en conséquence aucune mesure
contre les habitants de ce quartier. Nous allons
faire immédiatement incinérer son corps, ainsi
qu'elle en a exprimé le désir.

Le juge Ti fut interrompu par le bruit retentis-
sant du grand gong placé à l'entrée du tribunal.
Cela lui fit penser aux gongs des temples bouddhiques qui retentissent à la fin du service des
morts pour que l'âme des défunts entre dans
l'autre monde.

— L'audience va commencer, dit-il. Tu ferais
mieux d'aller te reposer, Ma Jong ; nous ne
retournerons au temple que cet après-midi. Tu
m'assisteras au tribunal, Hong. Je crains que
l'audience ne soit encore longue aujourd'hui car
nous allons réexaminer l'affaire Kao contre Lo ;
la partie Lo va nous exposer les nouveaux
éléments qu'elle a versés au dossier. A la fin de
l'audience, je donnerai l'ordre de libérer Ah-
liou. Apporte-moi ma robe de cérémonie,
Hong.

Après que Ma Jong eut donné les instructions

nécessaires à la crémation du corps de Tala, il se rendit directement au corps de garde. Il se déshabilla des pieds à la tête, s'accroupit sur les dalles et se fit asperger d'eau froide par deux gardes. Puis, dans le plus simple appareil, il gagna sa petite mansarde et se jeta sur son grabat. Il était éreinté ; s'étant rendu à l'Ermitage bien avant l'aube, il n'avait dormi que quelques heures après son éprouvante expédition nocturne. Mais dès qu'il ferma les yeux, le visage atrocement mutilé de Tala lui apparut ; puis il la revit, juchée sur le tas de crânes... Maugréant une bordée de jurons, il se retourna sur sa couche jusqu'au moment où il sombra dans un sommeil sans rêve.

Le lieutenant du juge Ti se réveilla avec une migraine épouvantable. Un coup d'œil vers la fenêtre lui indiqua que l'après-midi était déjà très avancé. Il s'habilla promptement et descendit. Alors qu'il avalait un bol de nouilles froides dans la salle de garde, un sbire lui apprit que le premier scribe venait d'arriver et était déjà dans le cabinet du juge Ti.

Ma Jong reposa son bol et se précipita chez son maître.

Le juge Ti était assis à son bureau, le sergent debout à ses côtés. Le vieux scribe, toujours aussi propret et guindé, prit place en face d'eux. En s'asseyant, Ma Jong jeta un coup d'œil étonné aux innombrables petites bandes de papier parfaitement alignées sur le bureau, toutes recouvertes de la belle écriture énergique du magistrat. Posées dessus, il y avait sept cartes, de celles que l'on glisse d'habitude comme marque-page dans un dossier. Il essaya de présenter ses excuses pour son retard, mais le juge leva la main pour l'interrompre.

— Tu arrives juste à temps pour entendre le rapport sur Tong-kang, Ma Jong. (Et, à l'adresse du vieux scribe :) Continue !

— Le commandant du convoi militaire m'a aimablement autorisé à me joindre à eux, Noble Juge ; ainsi j'ai pu faire la majeure partie du trajet de retour dans les meilleures conditions, et rapidement, qui plus est ! J'ai fait la dernière étape à cheval, avec un groupe de marchands de thé. Nous avons chevauché toute la nuit. Nous avons eu de la chance, car quand l'orage a éclaté, nous avons pu nous abriter dans la cabane d'un ramasseur de fagots dans les montagnes. Ensuite...

— Quel voyage ! coupa le juge. Mais dis-moi en deux mots ce que tu as appris à Tong-kang. Tu pourras me faire un rapport plus détaillé quand tu te seras reposé.

— Je vous remercie, Noble Juge. Je voudrais commencer par vous dire que le personnel du tribunal de Tong-kang m'a traité avec la plus exquise courtoisie. Ils ont mis à ma disposition la meilleure chambre de l'auberge réservée aux voyageurs officiels.

— J'écrirai à mon collègue une lettre de remerciements. Qu'as-tu appris sur le passage du trésorier impérial dans cette ville ?

— Mes collègues m'ont présenté à l'employé affecté au service du trésorier, Excellence. Il m'a confié que sa tâche avait été des plus faciles, car le trésorier, fatigué par son long voyage, avait décliné l'invitation à dîner du magistrat. Lorsqu'il lui a servi le riz du soir, dans sa chambre, le trésorier lui a demandé de faire venir un bourrelier afin de réparer un de ses coffres de voyage dont le cuir était quelque peu craquelé. Après le départ de l'artisan, le trésorier s'est retiré pour la nuit. Il n'a reçu personne d'autre et est reparti le lendemain matin à l'aube.

Le vieux scribe s'inclina vers le sergent qui lui présentait une tasse de thé. Après en avoir bu quelques gorgées, il reprit :

— Le chef des sbires du tribunal m'a retrouvé cet artisan. Il s'appelle Liou ; c'est un homme d'un certain âge, plutôt bavard. Il a commencé sa carrière en tant qu'orfèvre, puis, sa vue baissant, il s'est reconverti dans le travail du cuir. Il se rappelait parfaitement sa visite au trésorier, parce qu'il avait appris quelques jours plus tard que l'or avait été volé et…

— Oui, oui, bien sûr… Que s'est-il passé au cours de cette visite ?

— Eh bien, Excellence, le trésorier a emmené Liou dans sa chambre pour lui montrer le coffre à réparer. Liou l'a examiné et a dit au trésorier que le cuir était d'une qualité telle qu'il n'avait pas à craindre de le voir se déchirer. Le trésorier en fut apparemment très soulagé et il donna un généreux pourboire à Liou. Encouragé par l'amabilité de ce haut fonctionnaire, Liou s'extasia sur l'exécution d'une parure d'or que portait le trésorier, ajoutant qu'il avait été orfèvre. Le trésorier lui répondit que, dans ces conditions, il aurait un autre travail à lui confier.

Sortant de sa manche une clé au dessin très compliqué, il ouvrit le cadenas du coffre endommagé. Quoiqu'il ait tourné le dos à Liou, ce dernier a néanmoins vu dans le miroir posé sur la table que le coffre était rempli de gros lingots d'or. Le trésorier referma le coffre et refit face à Liou, un lingot à la main. Il lui expliqua que celui-ci était particulièrement long ; il l'avait fait entrer de force dans le coffre, par-dessus ses vêtements, et c'était probablement la raison pour laquelle le cuir avait craqué. Il demanda à Liou s'il ne pourrait pas le lui couper en deux, sans surtout rien en perdre. Liou avait justement la scie appropriée dans sa boîte à outils, et il partit une fois son travail accompli. Voilà tout, Excellence !

Le juge Ti posa sur ses deux lieutenants un regard entendu.

— A qui Liou a-t-il parlé de sa découverte ? demanda-t-il au scribe.

— Oh, à des tas de gens, Noble Juge ! Il se trouve que la Guilde des Orfèvres devait se réunir ce même soir, et Liou a raconté son histoire à toute l'assemblée. Les gens n'ont pas si souvent l'occasion d'entendre parler de tels transports d'or et ils n'ont pas manqué de se perdre en conjectures sur la destination véritable d'un tel convoiement de l'autre côté de la frontière.

— Tu as fait du bon travail ! Quand tu te seras reposé, tu jetteras un coup d'œil sur les comptes rendus des audiences d'hier et d'aujourd'hui. L'affaire Kao contre Lo revient à l'ordre du jour, tu sais.

— Je n'y manquerai pas, Noble juge! répondit avec ferveur le vieux monsieur. J'avais bien pensé que les deux parties avaient encore plus d'un tour dans leurs manches, surtout celle de Kao! Il reste encore à éclaircir cette histoire du second mariage du troisième cousin de...

— Voilà les deux dossiers, s'empressa de dire le juge. J'entendrai cette cause demain.

Le vieux scribe sortit en serrant amoureusement les deux dossiers dans ses bras.

— Le trésorier a commis une faute impardonnable, souligna le sergent Hong. Il aurait dû demander à Liou de quitter la pièce quelques instants pendant qu'il sortait le lingot du coffre.

— C'est évident, intervint Ma Jong. Cela ne nous avance pas énormément : comment pouvons-nous savoir lequel des membres de la Guilde a fait parvenir l'information jusqu'à Lanfang? Ce peut être un de leurs amis ou encore...

— Cela n'a aucune importance, Ma Jong, interrompit le juge. L'essentiel est que nous savons à présent avec certitude comment le secret s'est éventé, que l'information a été transmise ici avant l'arrivée du trésorier, et qu'elle a circulé dans le milieu des orfèvres et des serruriers d'art. C'est tout ce dont j'ai besoin.

— Partons-nous au temple à présent, Excellence? demanda Ma Jong. Il y a six gardes là-haut, mais je n'aime pas savoir tout cet or dans la nature!

— Non, nous irons plus tard. Comme je l'expliquais au sergent Hong avant l'arrivée du scribe, Ma Jong, je suis parvenu à résoudre théoriquement cette affaire. Il m'a fallu reconsidérer méthodiquement tous les éléments de l'enquête et surtout vérifier soigneusement toutes les dates. Ces dernières sont d'une importance capitale, Ma Jong ; d'où tous ces petits papiers que tu vois devant moi. J'ai récapitulé mes conclusions sur ces sept cartes posées dessus. Sur chacune d'elles, j'ai écrit un nom ainsi que quelques faits significatifs. Ces petits papiers ne me sont plus d'aucune utilité.

Le juge Ti ouvrit le tiroir et y fit glisser les papiers du revers de la manche.

— Nous allons à présent étudier ensemble ces sept cartes. Je les ai retournées quand le scribe s'est fait annoncer, car le vieux monsieur a encore de bons yeux. Et chaque carte porte le nom d'un suspect.

XIX

*Où il apparaît que 1 + 1 + 1 = 1 ;
le juge Ti joue
magistralement aux cartes.*

Le juge Ti se redressa sur son siège et croisa les bras.

— Avant de vous expliquer pourquoi j'en suis venu à soupçonner ces sept personnes, individuellement ou par couples, je dois commencer par vous dire que nous n'avons à démêler qu'une seule et unique affaire. Avant-hier — Ciel ! que cela me paraît loin aujourd'hui ! — nous croyions être en présence de trois affaires bien distinctes. Deux remontant à près d'un an : à savoir, le vol de l'or impérial et le mystérieux message d'une jeune fille prénommée Jade ; et une troisième datant d'hier, à savoir, l'assassinat de Seng-san dans le temple abandonné. Des développements ultérieurs ont prouvé que le vol de l'or était lié aux meurtres du temple, et ce matin, le plan dressé par la servante de l'Abbesse m'a convaincu que la disparition de Mademoiselle Jade devait être rattachée aux crimes commis en ce lieu. Nous n'avons donc qu'une affaire, mes amis, mais compliquée par tant de ramifications ! Tout a commencé avec le vol de l'or impérial. Autour de ces cinquante lingots volés s'est développé le plus complexe et étrange tissu de passions humaines contradictoires. Sers-moi une autre tasse de thé, Hong !

Le juge vida sa tasse en quelques gorgées. Puis il fouilla dans son tiroir et en sortit une feuille de papier.

— Il y a quelques instants, je soulignais l'importance des dates dans cette énigme. J'en ai noté ici quelques-unes. Regardez !

Le sergent Hong et Ma Jong rapprochèrent leurs chaises du bureau et lurent ce que le juge avait écrit :

> — Il y a quinze ans (Année du Lièvre) : Fermeture du Temple des Nuages pourpres par les autorités ;
> construction de l'Ermitage et installation dans les lieux d'un prêtre et d'une prêtresse ayant abjuré la nouvelle foi.
> — L'année dernière (Année du Serpent) :
> 15-V : Mariage de M. et Mme Wou
> 2-VIII : Vol de l'or impérial
> 20-VIII : La veuve Chang devient Abbesse de l'Ermitage
> 6-IX : Disparition de Ming Ao
> 10-IX : Disparition de Mlle Jade
> 12-IX : Date du message de Mlle Jade.

Ma Jong releva la tête.

— Qui est ce Ming Ao, Excellence ?

— Ne te souviens-tu pas de ce que le sergent Hong nous a dit avant-hier après avoir étudié le dossier des personnes portées disparues ? Il y a découvert que le frère d'un serrurier nommé Ming Ao avait signalé que ce dernier était parti de chez lui le sixième jour du neuvième mois pour ne plus jamais reparaître. Or, Li Maï nous a dit que Madame Wou avait vécu avec un serrurier qui l'avait quittée il y a un an environ. Cet après-midi, j'ai chargé Hong d'aller se renseigner discrètement auprès du frère de Ming Ao ; il en ressort que l'actuelle Madame Wou a effectivement vécu un certain temps avec Ming Ao. Ce dernier avait la réputation d'être un excellent serrurier et habile artisan en métaux. Mais c'était un voleur — comme Li Maï nous l'avait d'ailleurs dit en faisant allusion aux anciennes accointances de Madame Wou. Quoi qu'il en soit, gardez bien ces dates et ces noms en mémoire ! Ils sont d'une importance primordiale.

Le juge se pencha en avant et retourna la première carte.

— J'ai écrit sur cette carte le nom de Wou Tsung-jen, l'ancien préfet. Wou est resté un individu honnête tout au long de sa carrière de fonctionnaire. Mais ces dernières années, une fois ruiné et marié à une mauvaise épouse, son caractère changea du tout au tout. Ici, cette seconde carte porte le nom de Madame Wou. Je l'ai placée à côté de celle de son mari. Vous conviendrez que ce couple était en position d'être informé du transport d'or de Tong-kang. Wou fréquentait la boutique de Li Maï, et l'amant de Madame Wou était artisan en métaux. En apprenant ce qui s'était passé à

Tong-kang, ils voient là la chance de leur vie. Madame Wou prend contact avec son ancien amant, Ming Ao, et ce dernier dérobe l'or qu'il remplace par du plomb ; détail vraisemblablement suggéré par Wou. Ming Ao cache l'or quelque part dans le temple abandonné. C'est alors que les choses se compliquent : Ming Ao refuse de révéler la cachette exacte du trésor. Etait-ce parce que le mariage de sa maîtresse lui avait foncièrement déplu ? Ou tout simplement parce qu'il voulait garder l'or pour lui tout seul ? Nous ne pouvons qu'imaginer les réponses à ces questions. Une chose est certaine cependant : Monsieur et Madame Wou ne se sont pas laissé faire. Ils ont essayé de faire parler Ming Ao, l'ont peut-être torturé, que sais-je ? Quatre jours plus tard, il est assassiné et son cadavre disparaît. Le couple entreprend alors une fouille systématique du temple. Ils poursuivent leurs recherches pendant des mois, en vain. C'est alors qu'une seconde complication intervient : Yang soutire à Madame Wou le secret de l'or — selon toute probabilité ils étaient amants — ou bien il l'apprend en espionnant Wou. Yang charge alors Seng-san de faire chanter les Wou. Le couple attire Yang et Seng-san au temple, et là il les tue.

— Si cette théorie est correcte, s'exclama Ma Jong, alors ce satané fantôme n'est autre que Madame Wou ! Et Mademoiselle Jade, qu'en est-il alors ?

— Je pense que Jade a découvert que son père et sa belle-mère avaient tué Ming Ao ; ils décidèrent donc qu'elle devait disparaître à son tour, et le plus vite possible. Sa belle-mère la détestait, et sa mort libérait son père d'une passion coupable qui le tourmentait depuis longtemps. Enfin, les agissements auxquels se sont livrés hier Monsieur et Madame Wou corroborent amplement cette hypothèse. Ma proclamation publique a affolé le couple coupable. Avais-je découvert une preuve de leur culpabilité dans le meurtre de la jeune fille ? Vais-je les convoquer pour un interrogatoire ? Ils décident donc que l'offensive est encore la meilleure des défenses. Wou se précipite pour me voir, Madame Wou de son côté se rend chez ma Troisième Epouse, dans le fol espoir d'apprendre ce que j'ai découvert et de brouiller les cartes.

« Cependant, il y a une faille dans mon raisonnement, et une faille de taille. Wou a fort bien pu te jeter les pierres dans le puits, Ma Jong, de même qu'il a pu faire s'écrouler le haut du mur à ton passage. Mais je ne vois pas comment un vieux monsieur comme lui aurait réussi à étrangler Yang et à poignarder Seng-san ; comment aurait-il pu également déplacer le cadavre de Seng-san, et te filer entre les doigts dans la salle du temple, en pleine nuit ? As-tu quelque chose à dire, Hong ? »

Comme le sergent secouait négativement la tête, le juge Ti poursuivit :

— Je retourne ma troisième carte : Li Maï, le banquier. L'individu le mieux placé pour savoir ce qui s'était passé à Tong-kang, cela va de soi. Nous savons que Madame Wou ne menait pas une vie particulièrement monacale avant d'épouser Wou. Elle a fort bien pu avoir une liaison avec Li Maï, à l'insu de Ming ou non. Quand Wou tombe amoureux d'elle, Li Maï favorise le mariage : rien de plus pratique que de faire épouser sa maîtresse par son meilleur ami ! Wou désire donner sa fille en mariage à Li. Encore mieux ! Li aura une jeune et jolie femme et pourra en même temps poursuivre plus aisément sa liaison avec la belle-mère de son épouse. Li Maï et Madame Wou organisent le vol de l'or exécuté par Ming Ao. Puis les deux anicroches que j'ai évoquées tout à l'heure surviennent à nouveau : Ming refuse de révéler la cachette et ils le tuent. Jade découvre le meurtre, ou la liaison de sa belle-mère, et elle est éliminée. Madame Wou la hait et Li préfère de l'or à une jeune épouse. Quant au double crime du temple, Li Maï est grand et fort ; en outre, c'est un chasseur, ce qui en fait un sérieux adversaire, n'est-ce pas, Ma Jong ? Tu as quelque chose à dire, Hong ?

Le sergent Hong avait l'air sceptique.

— Comment concilier cette théorie avec la tentative de Li Maï de noircir Madame Wou, Excellence ? demanda-t-il enfin. Il a tout fait pour nous convaincre des origines douteuses de cette dame.

— Il a probablement agi à dessein, pour nous dérouter. Li savait parfaitement que nous n'avions pas la moindre preuve contre Madame Wou. Et c'est lui qui lui a soufflé mot pour mot ce qu'elle devait dire à ma Troisième Epouse. Bon, nous avons donc eu jusqu'ici deux hommes et une femme. Cette quatrième carte est encore une femme. Je la retourne et la place à côté de celle de Li Maï.

Le sergent Hong se pencha et sursauta en découvrant le nom qui y figurait.

— L'Abbesse ! s'exclama-t-il.

— Oui, l'Abbesse... Souvenez-vous qu'elle était l'épouse d'un négociant en or et en conséquence qu'elle pouvait connaître Li Maï, collègue de son époux. Et si elle avait eu une liaison secrète avec Li Maï ? Les registres indiquent que son mari est mort d'une crise cardiaque le premier mois de l'Année du Serpent. A-t-il découvert qu'elle le trompait avec Li ? Le couple l'a-t-il aidé à quitter ce bas monde ? A mon avis, il serait intéressant de se pencher de près sur les circonstances de la mort de Monsieur Chang. En tout cas, il est significatif que le mois même où l'or a été volé elle soit devenue Abbesse de l'Ermitage — situation idéale pour qui désire retourner en toute tranquillité dans le temple abandonné afin de retrouver l'or ! Enfin, elle savait que tu allais te rendre au temple, Ma Jong, puisque je le lui avais moi-même appris, au repas d'anniversaire. Et elle est partie très tôt, juste après le dernier plat, prétextant une migraine.

— Elle aurait très bien pu arriver au temple à temps pour m'attirer vers le puits, remarqua amèrement Ma Jong. Et hier soir, après m'avoir tendu un piège sous le mur, elle avait largement le temps de rentrer à l'Ermitage pendant que j'essayais d'attraper Li dans le temple. Et Jade, alors, Excellence ?

— Même hypothèse que précédemment :

Jade a pu les prendre sur le fait au moment où ils cherchaient à se débarrasser de Ming Ao.

— L'Abbesse a probablement pris en outre un grand plaisir à tuer la malheureuse, remarqua Ma Jong d'un air mauvais. Sa servante m'a dit qu'elle adorait la battre ! Mais qu'est-il exactement arrivé à Jade, Excellence ?

— Aux dires de Tala, répondit posément le juge, Mademoiselle Jade se serait tuée en tombant, et ce le dixième jour, celui-là même de sa disparition. Or, d'après le message caché dans le coffret d'ébène, elle est morte le vingtième ou aux environs du vingtième.

— La date de son message concorderait, remarqua Hong. Elle a été retenue prisonnière du dixième au vingtième jour, sans rien boire ni manger !

Le juge Ti retourna la cinquième carte.

— J'ai inscrit sur celle-ci le nom de Li Ko, le peintre. Regardez, je mets cette carte entre celles de Madame Wou et de l'Abbesse. Alors voyons. Li Ko était aussi bien placé que son frère pour apprendre le secret de l'or, puisqu'il habitait encore chez le banquier. Pour la même raison, il a fort bien pu rencontrer Ming Ao et la future Madame Wou.

Le juge déplaça la carte de Li Ko vers celle de Madame Wou et les contempla avec un sourire satisfait.

— Je dois avouer que j'aime assez cette combinaison ! Elle me plaît même beaucoup. La femme sensuelle mariée à un vieux monsieur et le peintre irresponsable qui croit encore en l'amour romantique ; tous deux approchent de

234

l'âge mûr où les passions vous dévorent d'un feu plus intense que dans la jeunesse.

— Li Ko savait également que je devais me rendre au temple, maugréa Ma Jong. Je le lui ai dit quand je l'ai croisé en chemin vers la porte de l'Est. Et il avait le coffret d'ébène en sa possession ! En outre, c'est un homme des montagnes, il est vif et costaud ! Voilà pourquoi il s'en est si bien sorti quand j'ai essayé de le rattraper !

Le juge Ti hocha la tête puis rapprocha la carte de Li Ko de celle de l'Abbesse.

— Cette combinaison est nettement moins séduisante, dit-il. Mais n'oublions pas que Li Ko a habilement peint ces horribles tableaux bouddhiques. Il lui a donc fallu étudier de près les originaux antérieurement exposés au temple ; et il a pu y rencontrer l'Abbesse qui était déjà une fervente bouddhiste à l'époque où elle était encore Madame Chang. Bon, je retourne la sixième carte. Vous constaterez que j'y ai écrit le nom de Yang.

— Yang est mort ! s'exclama le sergent Hong.

— Il ne faut jamais oublier les morts, Hong, pour citer Tala. Je pose la carte de Yang sur celle de Li Ko et celle de Madame Wou juste à côté. Regardez, maintenant nous avons une combinaison encore plus vraisemblable que celle de Madame Wou et Li Ko ! Une femme sensuelle et un charmant candidat, beaucoup plus jeune, vivant sous le même toit ! Après avoir parlé de l'or à Yang, elle lui a fait faire le plus dur. Nous avons vu le cadavre de Yang : c'était un garçon costaud qui aurait facilement maîtrisé à la fois Ming Ao et Mademoiselle Jade.

— Mais ensuite Yang a été assassiné à son tour, ainsi que Seng-san ! protesta Hong.

— Justement ! C'est pour cela que j'ai posé la carte de Yang sur celle de Li Ko. Car au cours des deux mois qui suivirent le vol, la combinaison s'est modifiée. Madame Wou est tombée amoureuse de Li Ko. Elle a appris la chose à Yang en lui précisant qu'il pouvait dire adieu à l'or. Mais Yang ne l'entendit pas de cette oreille. Il est allé voir Li Ko et lui a dit qu'il se moquait comme d'une guigne de Madame Wou mais qu'il tenait à sa moitié de l'or. Afin de pouvoir surveiller le couple, Yang obligea Li Ko à l'employer, sous menace de tout révéler au vieux Monsieur Wou. Puis Yang finit par comprendre qu'on ne pouvait se jouer aussi facilement de Li Ko et décida de récupérer l'or par ses propres moyens et de tout garder pour lui. Pour ce faire, il engagea Seng-san, un professionnel. C'est alors qu'ils furent assassinés par Li Ko et Madame Wou.

Le juge Ti ramassa les six cartes puis, se renversant dans son fauteuil, il les battit et déclara :

— Il y a bien sûr encore quelques combinaisons possibles. Mais je crois que nous avons envisagé les plus importantes.

— Il reste encore une carte sur la table, Excellence, annonça le sergent Hong.

Le juge Ti se redressa sur son siège.

— Ah, oui ! la septième carte !

Il la retourna : elle était noire.

— J'y avais inscrit un nom, à tout hasard. Peut-être était-ce le nom d'un fantôme, le fan-

Le juge Ti étudie sept cartes

tôme du temple. Et puis je l'ai entièrement noircie. Cette carte représente la mort.

Le juge Ti glissa la carte noire parmi les autres, les battit de nouveau et rangea le paquet dans son tiroir ouvert. Enfin, il croisa les bras et reprit :

— Normalement, parvenus à ce stade, nous devrions entamer une enquête longue et fastidieuse : réunir toutes les informations possibles concernant nos suspects, découvrir où et avec qui ils se trouvaient au moment des différents crimes, interroger le personnel domestique, les boutiquiers, etc. Cela nous prendrait des semaines, voire des mois, quand bien même nos amis Tsiao Taï et Tao Gan seraient là pour nous y aider. Par bonheur, nous avons la possibilité de frapper droit au but. (Le juge étala devant lui le plan dressé par Nuage de Printemps.) Grâce à cet excellent croquis, nous allons pouvoir nous livrer cette nuit même à une expérience décisive. Il y a une demi-heure, j'ai fait porter deux lettres par un employé du tribunal : l'une adressée à Monsieur et Madame Wou, l'autre à leur ami, le banquier Li Maï. Je les ai invités à se rendre d'ici deux heures au temple abandonné, dans la perspective de leur faire part des résultats de mes recherches concernant la disparition de Mademoiselle Jade.

— Et Li Ko et l'Abbesse, Excellence ? s'étonna Ma Jong.

— J'irai chercher personnellement l'Abbesse à l'Ermitage. Je désire y aller de toute façon pour prendre des nouvelles de Fang. Quant à Li Ko, tu vas te rendre chez lui, Ma Jong. Dis-lui que tu as ordre de le conduire au temple abandonné parce que j'ai quelque chose à lui montrer dans le secret le plus absolu, pour avoir son avis. Fais-lui grimper la colline par l'arrière, car il ne doit en aucun cas découvrir mes autres invités. Fais-le patienter derrière le temple. Quand j'aurai besoin de lui, je te le ferai savoir. Alors tu l'introduiras dans la grande salle par la petite porte de service. (Comme Ma Jong se levait, le juge s'empressa d'ajouter :) Ne le quitte surtout pas des yeux une seconde, Ma Jong ! N'oublie pas qu'il est soupçonné de meurtre !

— Je l'aurai à l'œil ! répondit le colosse avec un sourire narquois en quittant la pièce.

Le juge Ti se leva à son tour.

— Allez, viens, Hong ! Je dois arriver avant mes invités. Il faut que je mette moi-même ma théorie à l'épreuve avant de la vérifier sur mes suspects !

XX

Un abîme de perplexité s'ouvre
aux pieds d'une compagnie choisie ;
Ma Jong découvre
que bien souvent femme varie.

Les gardes en faction à la porte de l'Est regardèrent passer médusés le cortège officiel. Deux sbires à cheval qui frappaient de petits gongs de cuivre ouvraient la marche en criant : « Circulez ! Circulez ! Laissez passer Son Excellence le Magistrat ! » Puis venaient deux autres sbires, brandissant chacun une perche en haut de laquelle était suspendu un grand lampion de papier huilé portant l'inscription en caractères rouges : « Tribunal de Lan-fang ». Derrière eux suivait le palanquin officiel du juge Ti porté par dix hommes en uniforme. Le chef des sbires accompagnait sur sa monture le palanquin, et dix gardes à cheval fermaient la marche.

A la vue du cortège, tous les coolies, portefaix et mendiants attablés aux gargotes en plein air qui longeaient la route vers la campagne se levèrent pour le suivre. Le chef des sbires leur cria de rester en arrière, mais déjà se levait le rideau de la fenêtre du palanquin. Le juge Ti regarda la scène et dit au chef des sbires :

— Laisse-les venir, s'ils en ont envie !

Le juge Ti et le sergent Hong descendirent du palanquin au pied de l'escalier, en bas de la colline. Sachant la pénible montée qui l'attendait, le juge n'avait pas revêtu son costume officiel mais une légère robe de coton gris à bords noirs, retenue par une large ceinture de même couleur. Il s'était coiffé du haut bonnet carré de gaze noire.

Dans l'avant-cour du temple, les sbires avaient planté dans le sol des perches portant les lampions du tribunal de part et d'autre du grand portail, où le juge leur demanda de l'attendre. Il se dirigea vers la grande salle, accompagné en tout et pour tout du sergent Hong, du chef des sbires et du premier sbire qui portait deux lanternes, une échelle de corde et un rouleau de ficelle.

Ils restèrent un long moment dans la salle. Quand le juge ressortit dans la cour, il avait l'air pâle et tendu dans la lueur des lampions. Il demanda sèchement au chef des sbires d'introduire ses invités et de les faire attendre dans la cour. Les sbires devaient encore installer des torches dans la salle du temple et la balayer. Après avoir donné ces instructions, il prit avec le sergent Hong le chemin de l'Ermitage.

Dès que l'Abbesse leur eut elle-même ouvert la porte, le juge la remercia chaleureusement de ses soins au blessé et demanda à le voir. L'Abbesse les mena dans une petite pièce attenante à la chapelle, où Fang était couché sur un lit de bambou. Nuage de Printemps était accroupie dans un coin près d'un brasero, occupée à attiser les braises sous un chaudron. Le juge Ti félicita le jeune sbire d'avoir découvert où était enterrée la tête et lui souhaita un prompt rétablissement.

— Je suis extrêmement bien traité, Noble Juge, répondit le jeune sbire avec reconnaissance. L'Abbesse a pansé ma blessure et, toutes les deux heures, Nuage de Printemps me donne de quoi faire tomber la fièvre.

Le sergent Hong surprit le tendre regard dont le jeune sbire gratifia Nuage de Printemps qui ne put s'empêcher de rougir.

De retour dans la cour, le juge Ti dit à l'Abbesse :

— J'ai convié ce soir quelques personnes au temple abandonné pour y discuter tous ensemble du meurtre perpétré récemment en ces lieux. J'aimerais que vous y soyez également présente. Cette zone est placée sous votre juridiction religieuse, en quelque sorte.

L'Abbesse ne fit aucun commentaire. Elle inclina la tête en signe d'assentiment, ajusta sa coiffe et suivit le juge et le sergent Hong.

Monsieur Wou faisait les cent pas dans la cour du temple, les mains derrière le dos. Il avait mis pour la circonstance une robe vert foncé à larges bordures noires et un haut bonnet noir qui lui conféraient une apparence des plus officielles. Son épouse, vêtue d'une robe sombre, la tête couverte d'un voile noir, était assise sur une grosse pierre. Monsieur Li Maï se tenait à ses côtés.

Le juge Ti présenta cérémonieusement Messieurs Wou et Li à l'Abbesse. Il apparut que cette dernière connaissait déjà Madame Wou qui était allée quelquefois à l'Ermitage pour y brûler de l'encens. Debout au milieu de la cour, ils échangèrent les formules de politesse convenues. Dans la douce lumière des deux grandes lanternes, les murs gris du temple avaient l'air moins rébarbatifs. N'eût été la présence des sbires et des gardes auprès du portail, on aurait pu croire qu'il s'agissait d'un groupe d'amis réunis dans la cour du temple pour y jouir de la fraîcheur vespérale.

— Je vous suis extrêmement reconnaissant à tous d'avoir accepté de répondre à cette convocation au pied levé, déclara le juge. A présent, vous voudrez bien me suivre dans la grande salle. Je vous y expliquerai en quoi votre présence ce soir m'était indispensable.

Le magistrat traversa la cour. Les six panneaux de la porte étaient grands ouverts ; ils entrèrent dans la salle, brillamment éclairée par plusieurs grandes torches que les sbires avaient glissées dans les trous prévus à cet effet. Tout en se dirigeant vers l'autel, au fond, le juge se dit qu'à l'époque où les murs étaient encore couverts de somptueux tableaux religieux et l'autel chargé de tous les objets rituels, la salle devait produire un effet étonnant. Il s'adossa contre l'autel et fit avancer Monsieur et Madame Wou juste devant lui. Puis il demanda à l'Abbesse de se placer à leur droite et à Monsieur Li Maï à leur gauche. Entre-temps, le chef des sbires avait pris position à l'extrémité gauche de l'autel et le premier sbire à droite. Ils se figèrent au garde-à-vous. Le sergent Hong resta au fond de la salle, près des colonnes, ainsi que six gardes.

Le juge considéra les quatre personnes debout face à lui d'un air sombre, tout en lissant sa longue barbe noire. Puis il s'adressa d'un ton grave à Monsieur Wou :

— J'ai le regret de vous informer que votre fille Jade est morte. Elle est morte ici même.

Ayant ainsi parlé, il se déplaça vivement sur la gauche, dépassant le chef des sbires.

— Déplace l'autel ! lui cria-t-il.

L'homme saisit à deux mains l'extrémité gauche de l'autel, imité à l'autre bout par le sbire. Le juge Ti ne quittait pas des yeux les quatre personnes : Monsieur et Madame Wou échangèrent un regard abasourdi. Li Maï fixait le juge les yeux écarquillés. Quant à l'Abbesse, elle se tenait très droite et observait le chef des sbires et son aide d'un air absent. Ils avaient incliné un peu l'autel et s'étaient immobilisés dans cette position.

Au bout d'un bref instant, le juge dit au chef des sbires :

— Cela suffira !

Tandis qu'il remettait l'autel dans sa position initiale, le juge reprit sa place devant, avant de s'adresser à Monsieur Wou :

— Votre fille, Monsieur Wou, s'est éprise de votre secrétaire, Monsieur Yang Mou-té. Vous ne pouvez l'en blâmer : elle a perdu sa mère à un âge où elle en aurait eu le plus besoin, et à trop lire de romans légers, elle s'est mis des idées en tête. Elle constituait une victime idéale pour un jeune homme roué et débauché comme Yang. Gardez-lui une place dans votre cœur, Monsieur Wou. Après vous avoir parlé, lors de cette funeste nuit, elle s'est enfuie de chez elle ; non pour aller chez sa tante, mais tout droit ici, dans ce temple abandonné. Elle savait en effet que Yang y venait souvent. Elle désirait le prévenir que vous aviez refusé de la laisser l'épouser et prendre conseil auprès de lui sur ce qu'ils devaient faire désormais. Or, Yang n'était pas ici cette nuit-là. C'est un autre homme qu'elle a rencontré : un assassin qui était encore en train de contempler le résultat de son odieux forfait.

« Cet individu était l'instigateur du vol de l'or impérial, cinquante lingots dérobés au trésorier, il y a près d'un an de cela, le deuxième jour du huitième mois de l'Année du Serpent. Pour pénétrer dans la chambre du trésorier et voler l'or, il a engagé un habile serrurier, nommé Ming Ao. »

Il y eut un cri étouffé. Madame Wou porta vivement la main à sa bouche tandis que son mari, lui jetant un regard étonné, s'apprêtait à lui demander une explication. Mais le juge Ti leva la main.

— Monsieur Wou, vous savez qu'avant de vous épouser votre femme a eu une vie difficile, n'est-ce pas ? Elle a connu Ming Ao, à un moment. Son frère a déclaré au tribunal qu'il avait disparu le sixième jour du neuvième mois : soit cinq semaines après le vol de l'or et quatre jours avant la disparition de votre fille. Le commanditaire de Ming Ao lui avait donné l'ordre de cacher l'or ici, dans le temple, ce qu'il a fait très habilement car il était un serrurier adroit, et les coffres dissimulés dans les murs, les cachettes camouflées et autres subterfuges n'avaient aucun secret pour lui. Il estima mériter plus que ce qu'on lui avait promis et refusa donc de révéler à son commanditaire l'endroit exact où il avait caché l'or. Je suppose que cet individu a commencé par faire parler Ming Ao en lui promettant monts et merveilles et, ces promesses ne suffisant pas, en le menaçant, jusqu'au moment où...

— Cela m'est complètement indifférent, interrompit Monsieur Wou. Je voudrais savoir qui a tué ma fille et comment.

Le juge Ti se tourna vers le banquier, Li Maï.

— Le meurtrier est votre frère, le peintre Li Ko.

Le visage rond de Li Maï pâlit.

— Mon... mon frère ? bredouilla-t-il. Je savais que c'était un bon à rien... Mais, Ciel, un meurtre !...

— Votre frère, poursuivit le juge, a dû fréquenter ce temple pendant des années, pour y étudier la peinture bouddhique. Il a appris d'une manière ou d'une autre l'existence d'une crypte souterraine, sous cet autel. Comme vous le savez, la plupart des temples importants possèdent de telles cryptes secrètes pour y entreposer les objets rituels de valeur pendant les périodes de troubles et pour que les reclus puissent s'y cacher. Li Ko a probablement surpris Ming Ao en train de descendre dans cette crypte et l'a menacé de l'y laisser mourir de faim s'il ne lui avouait pas où il avait caché l'or. Ceci se passait la nuit du sixième jour du neuvième mois, celle où Ming Ao a disparu. Quatre jours plus tard, le dixième, Li Ko a rouvert la crypte. Il y avait laissé trop longtemps Ming Ao : le serrurier était mort en emportant son secret. Votre fille, Monsieur Wou, a découvert Li Ko devant l'entrée de la crypte ouverte, et il l'y a précipitée. Les corps sont toujours là. Reculez tous, je vous prie ! Oui, c'est bon. (Le juge Ti se dirigea vers le chef des sbires et lui dit d'un ton sec :) Ouvrez la crypte !

Le chef des sbires et son aide inclinèrent de nouveau l'autel. Puis, faisant un effort évident, ils le détachèrent complètement du mur, pouce par pouce. Quand ils l'eurent éloigné de cinq pouces, une section du sol dallé de six pieds carrés se souleva brusquement, pivotant autour d'un axe situé le long du mur à l'emplacement de l'autel. Une épouvantable odeur de décomposition s'échappa du trou noir et béant.

Sur un signe du juge, le chef des sbires alluma une lanterne attachée à un filin. Tandis qu'il la faisait descendre au fond de la crypte, le juge Ti fit approcher Monsieur Wou jusqu'au bord. Ils se penchèrent tous deux.

Le mur de brique parfaitement lisse descendait sur près de vingt pieds. Tout en bas gisait un tas de détritus : des coffres en bois de toutes tailles, quelques jarres de grès et des chandeliers cassés. A gauche, on distinguait les restes d'une femme, allongée sur le dos. Ses longs cheveux épars étaient disposés en auréole autour de son crâne, et à son squelette était collé ce qui restait d'une robe brune en voie de décomposition. De l'autre côté, près du mur, on devinait les restes d'un homme, face contre terre, les bras en croix.

248

A travers les trous de ses manches déchirées et moisies, de l'or brillait à la lueur de la lanterne.

— J'y suis déjà descendu avec une échelle de corde, déclara le juge Ti. (Sa voix était étouffée par le foulard qu'il avait remonté devant son nez et sa bouche.) Dans le mur, juste au-dessus du cadavre de Ming Ao, il y a une cachette secrète parfaitement bien construite. Lors des derniers douloureux moments qu'il avait à vivre, Ming Ao a ouvert ce coffre mural et, rendu fou par la faim et la soif, il s'est mis à en sortir tous les lingots d'or qu'il y avait cachés pour les glisser dans ses manches. Puis il s'est effondré, mort, sur les quelques lingots tombés par terre. Avant d'enfermer Ming Ao dans la crypte, le meurtrier avait bien évidemment pris la précaution de l'inspecter soigneusement, car elle constituait une cachette idéale. Mais il n'avait pas décelé le coffre dans le mur. Et quand il a ouvert la crypte pour découvrir Ming Ao mort, il n'a pas vu l'or non plus. Si nous pouvons le voir aujourd'hui d'ici, c'est simplement parce que les vêtements de Ming Ao se sont décomposés et ont été mangés par les vers. Donc, le meurtrier, ignorant la présence de l'or en ce lieu, a entrepris de fouiller avec acharnement le reste du temple.

Monsieur Wou recula, le visage blême.

— Où est le monstre infâme qui est responsable de la mort de ma malheureuse enfant ? demanda-t-il d'une voix rauque.

Le juge fit un signe de tête au chef des sbires qui sortit de la salle par la petite porte de derrière. Puis le magistrat désigna la trappe.

— Comme vous pouvez le constater, cette

trappe est constituée de gros rondins très épais. Ils sont recouverts d'une couche de ciment, et les dalles ont été rajoutées par-dessus. La porte est si lourde qu'une fois fermée, elle ne sonne pas creux, quand bien même taperait-on des pieds dessus. De l'autre côté, il y a un contrepoids, sous la terre, à l'extérieur. Deux cales le maintiennent en équilibre. Si l'on penche l'autel, et qu'on le pousse suivant un axe parallèle au mur, les cales se débloquent. C'est un dispositif très astucieux.

Le chef des sbires rentra dans la salle en compagnie d'un homme de haute taille, suivi de Ma Jong.

A peine l'homme eut-il vu la crypte ouverte et les gens rassemblés devant qu'il cacha son visage derrière son bras. Trop tard !

— Yang ! s'écria Madame Wou. Que...

L'homme fit volte-face, aussitôt rattrapé par Ma Jong qui lui fit une clé au bras, et le chef des sbires qui l'enchaîna.

Yang s'affaissa de tout son poids et resta par terre, blême, les yeux baissés.

— Où est mon frère ? hurla Li Maï.

— Votre frère est mort, Monsieur Li, répondit doucement le juge. Il a commis deux meurtres et s'est fait assassiner à son tour.

Le juge Ti fit un signe au chef des sbires qui aussitôt, avec son aide, remit l'autel dans sa position première, contre le mur. La trappe se referma lentement. Le juge Ti reprit sa place devant l'autel.

— Vous êtes en droit de savoir tout ce qui s'est passé, Monsieur Li. Je reprends le fil de mon récit. Puisque votre frère est mort, une partie de ce que je vais dire n'est que pure conjecture. Mais Yang Mou-té comblera les lacunes. Donc, après que Li Ko eut tué Ming Ao et Mademoiselle Jade, il a entrepris de fouiller le temple de fond en comble. Sachant que toutes sortes d'individus louches y rôdaient la nuit et qu'il aurait également à passer le jardin au crible, il a eu besoin d'aide. Il a embauché Yang à son service. Que vous a dit Li Ko, Yang ?

L'homme enchaîné leva vers le juge des yeux hébétés.

— Il m'a dit que les moines avaient caché un trésor ici, marmonna-t-il. Je… je crois qu'il n'y avait pas que ça. J'ai trouvé dans la chambre de Li des papiers où il avait calculé la valeur de cinquante lingots d'or et…

— Et vous avez pensé que vous pourriez obtenir plus que la part promise par Li, coupa le juge en finissant sa phrase. Vous avez engagé Seng-san, le malfrat, et vous avez échafaudé ensemble un plan pour attirer Li au temple et l'assassiner. Seng-san a étranglé Li par-derrière. Puis vous avez exécuté la seconde phase de votre diabolique machination, Yang. Après avoir attendu que Seng-san en ait terminé avec Li et qu'il soit penché sur sa victime, vous lui avez plongé un couteau dans le dos. Pourquoi finalement avez-vous attendu si longtemps pour tuer Li ? Et pourquoi avez-vous essayé par deux fois de tuer mon lieutenant, deux nuits de suite ? Que n'avez-vous patienté quelques jours, le temps que l'on abandonne les recherches dans le temple ? Parlez, Yang !

Les lèvres de Yang remuèrent, mais aucun son ne sortit de sa bouche.

— Avouez ! s'écria le juge.

— La semaine dernière... j'ai encore fouillé dans les papiers de Li pendant qu'il était sorti. Il allait presque tous les jours chez les bouquinistes... Il avait fini par trouver ce qu'il cherchait : un recueil de lettres, écrites par un abbé du temple, il y a plus d'un siècle. Dans l'une de ces lettres, il était question de la construction d'un coffre caché dans le mur, au fond de la crypte. Quand Li a acheté une échelle de corde... Il fallait que je fasse vite, parce que je ne pouvais pas me faire passer longtemps pour Li. Je devais récupérer l'or, très vite, quitter la ville...

— Demain vous rendrez pleinement compte de vos crimes devant le tribunal, coupa le juge. Emmenez le prisonnier, chef des sbires, et que six gardes l'escortent jusqu'à la prison ! Monsieur Wou, hier vous m'avez demandé quels nouveaux éléments concernant la disparition de votre fille m'avaient poussé à faire placarder une proclamation. Je vais vous répondre à présent. Il m'est parvenu entre les mains un billet, signé du nom de votre fille, affirmant qu'elle était prisonnière ici, et suppliant que l'on vienne la délivrer. Il était enfermé dans un coffret d'ébène ancien. Le couvercle de ce coffret était orné d'un disque de jade représentant le caractère signifiant « longue vie ». Quelqu'un a tracé d'un côté avec l'ongle le mot « entrée » et de l'autre le mot « en dessous ». Or, il se trouve que la forme de ce caractère évoque étrangement le plan de ce

temple même. L'espace oblong du milieu représente la grande salle, les lignes crénelées les
cellules monacales, les deux carrés les tours. Le
coffret a été évidemment choisi pour son analo-
gie avec le temple ; il complétait en quelque
sorte le contenu du message. Ce dernier nous
indiquait la date et le coffret le lieu. Ce lieu était
précisé par le mot « en dessous » écrit à côté du
mur du fond de la salle : il désignait clairement
une crypte, sous l'autel.

— Ma fille a dû trouver ce coffret dans la
crypte, murmura Wou. Mais comment a-t-elle...

Le juge Ti secoua la tête.

— Le message était bien signé de son nom,
Monsieur Wou, mais elle ne l'a pas écrit elle-
même. Elle est morte sur le coup en tombant au
fond de cette crypte. Le coffret était une habile
mystification imaginée pour des raisons sans
rapport avec la présente affaire. Cette mystification m'a toutefois aidé à reconstituer le crime,
en attirant mon attention sur cette crypte. Le
coffret a été prétendument découvert près d'un
terrier de lapin, sur la colline, derrière le temple ; autrement dit une bouche d'aération. La
crypte en comporte effectivement quatre pour
que les moines ne meurent pas asphyxiés lorsqu'ils doivent s'y réfugier plusieurs jours. Les
grandes jarres au fond de la crypte contenaient
du riz séché et de l'eau. Je ne vais pas vous
retenir plus longtemps, Monsieur Wou. Je vais
faire mettre en bière la dépouille de votre fille et
vous la ferai parvenir pour qu'elle soit enterrée.
Je suis navré qu'elle n'ait pas eu la vie sauve.
Mais le ciel a puni son meurtrier, et les doutes

Le Préfet Wou et l'Abbesse devant le juge Ti

que sa disparition vous a causés sont à présent levés.

Monsieur Wou s'inclina profondément devant le magistrat. Puis il se détourna et se dirigea vers l'entrée, suivi de son épouse. Le juge s'empressa de la rattraper et lui dit à voix basse :

— Hier, votre époux ne s'est pas présenté au tribunal pour vous dénoncer, Madame Wou. Il ne désirait que vous protéger. A présent, vous pouvez recommencer une nouvelle vie conjugale. Ne recherchez pas les plaisirs faciles. Vous avez vu qu'ils pouvaient conduire à une mort ignominieuse.

Madame Wou acquiesça et s'empressa de rejoindre son mari.

Quand le juge Ti eut regagné l'autel, il y découvrit Li Maï, la tête baissée, les yeux rivés sur la trappe.

— Veuillez accepter l'expression de ma plus vive sympathie, Monsieur Li.

Le banquier s'inclina respectueusement.

— Je pleure ma fiancée, Excellence. J'avais toujours espéré la revoir vivante. Je suis profondément affecté par le déshonneur que mon frère a jeté sur toute la famille.

— J'éprouve un grand respect pour votre force de caractère et votre inébranlable loyauté, Monsieur Li, déclara solennellement le juge. Une famille comptant parmi ses membres un individu tel que vous peut surmonter toutes les vicissitudes.

Li Maï s'inclina de nouveau et traversa la grande salle vers la sortie.

L'Abbesse, qui avait assisté à toute la scène

d'un air toujours aussi inexpressif, hocha lentement la tête et déclara :

— Ce temple était destiné à devenir le théâtre de terribles événements, car il a été profané par les rites hérétiques. Et quand le Bouddha s'en va, les démons dansent. Je vais m'occuper sur-le-champ de faire procéder à une cérémonie de purification. Au revoir, Excellence.

— Raccompagne la Mère Abbesse chez elle, Ma Jong, ordonna le juge Ti avant de s'adresser au chef des sbires. Envoie quatre hommes à la porte de l'Est, pour y prendre des échelles de bambou, deux cercueils provisoires, des bêches, des pelles et d'autres cordes. Nous commencerons par enlever les corps, puis l'or. La crypte doit être entièrement nettoyée. Allons attendre dans la cour, Hong, cette odeur nauséabonde est insupportable !

Le juge s'assit sur une grosse pierre sous l'un des lampions du tribunal et le sergent Hong sur une souche. De l'autre côté du mur d'enceinte leur parvint un bruit de voix confus. Les mendiants et les portefaix qui avaient suivi le cortège depuis la porte de l'Est discutaient âprement les surprenants événements, après les avoir appris des gardes qui emmenaient le prisonnier.

Le sergent Hong huma une bouffée d'air frais avec soulagement. Il essaya de repenser aux péripéties qui venaient de se succéder avec une étonnante rapidité, mais il ne parvint pas à se faire une idée claire de la situation ; il lui sembla que le juge avait délibérément laissé certaines zones d'ombre. L'essentiel était tout de même que le magistrat fût rentré en possession de l'or !

Il sourit d'un air satisfait. Cela contribuerait certainement à disposer les autorités de la capitale en faveur du juge ; qui sait s'il ne se verrait pas proposer un poste plus intéressant que celui-ci, dans cette province reculée ?

— Comment allez-vous transporter l'or impérial, Excellence ? demanda-t-il.

— Nous le ferons emballer ici-même dans du papier huilé, Hong, puis emporter au tribunal dans mon palanquin. Nous allons en vérifier tout de suite la quantité, et en présence de témoins dignes de foi.

Le juge sombra dans un morne silence. Croisant les bras dans ses larges manches, il contemplait la silhouette du temple qui se découpait dans le ciel noir. Le sergent tiraillait pensivement sa mince barbiche, le menton dans sa main gauche.

— Cet après-midi, dit-il au bout d'un long moment, Votre Excellence a placé la carte de Yang sur celle de Li Ko. Aviez-vous déjà deviné que Yang se faisait passer pour le peintre ?

Le juge Ti se tourna vers le sergent.

— Oui, en effet, Hong. J'ai été frappé de ce que ce prétendu peintre, capable de disserter intelligemment sur la théorie de la peinture — le premier candidat aux examens littéraires venu en fait tout autant — se fût montré incapable d'exécuter dans les meilleurs délais la commande que je lui avais passée. Ses justifications étaient absurdes. Un peintre assez talentueux pour exécuter les œuvres superbes que j'ai vues dans son atelier se serait mis aussitôt au travail, d'autant plus que le paysage frontalier que je

257

désirais était d'un genre qui n'avait pas de secret pour lui et que je lui aurais largement payé. En outre, je n'ai jamais entendu dire à ma Troisième Epouse qu'il fût difficile de faire venir du bon papier à Lan-fang. Par ailleurs, lors de ma visite impromptue avec Ma Jong, j'ai remarqué que la peinture avait séché dans les petites écuelles, couvertes de poussière, preuve qu'elle n'avait pas été utilisée depuis un jour ou deux. Quand il nous a dit que Yang était parti faire la fête, mes doutes se sont confirmés, bien que Ma Jong ait eu raison de me faire remarquer que les aubergistes donnent parfois des renseignements fantaisistes. Enfin, Hong, il y a eu cet étonnant regain de violence de ces trois derniers jours : trois assassinats et deux tentatives de meurtre sur Ma Jong! J'ai eu la nette impression qu'un élément nouveau était intervenu dans l'affaire, que quelqu'un d'autre s'était lancé à la recherche de l'or, un individu qui avait une raison impérieuse de quitter la ville le plus tôt possible. C'est ce qui m'a laissé penser qu'il y avait usurpation d'identité. Car si le peintre et Yang étaient tous deux connus pour leur conduite excentrique, il y avait encore le risque qu'un boutiquier ou un commerçant du quartier posât des questions gênantes. Quand ma petite expérience avec la trappe a eu prouvé l'innocence de Monsieur et Madame Wou, celles de Li Maï et de l'Abbesse, j'ai su que Yang Mou-té était notre homme.

Le sergent Hong hocha la tête.

— Il aurait effectivement fallu une maîtrise de soi surhumaine pour ne pas faire un bond en arrière sachant qu'on se trouve au bord d'une trappe donnant sur une crypte de vingt pieds de profondeur !

— Exactement. Eh bien, un caprice du destin a voulu que ni Yang ni Li n'aient ouvert le coffret d'ébène, et que ce soit moi qui l'aie acheté et aie découvert tout son sens grâce au plan de Nuage de Printemps. Et il est encore plus étrange que Yang, désireux de me faire oublier qu'il n'avait pu exécuter le tableau dans les temps, ait essayé de me faire bonne impression en m'avouant comment il avait eu ce coffret — sans soupçonner les lourdes conséquences d'un tel aveu ! c'est une curieuse affaire, Hong ; une bien curieuse affaire !

Le juge hocha la tête et se mit à caresser ses longs favoris.

Le sergent Hong lui jeta un regard en coin. Après une seconde d'hésitation, il se racla la gorge et se risqua à dire :

— Vous avez tout expliqué, Excellence, sauf le fantôme.

Le juge sortit de sa rêverie et regarda le sergent Hong droit dans les yeux.

— Le fantôme du temple ne hantera plus jamais les lieux, Hong, dit-il posément. Les liens mystérieux, surnaturels ou autres, qui le rattachaient à ce vieux temple ont été rompus, une bonne fois pour toutes. Ah, voilà Ma Jong ! (Découvrant la mine défaite de son lieutenant, le juge, inquiet, demanda :) L'état de Fang s'est-il donc aggravé ?

— Oh non, Excellence... Je suis passé le

voir un instant après avoir raccompagné l'Abbesse. Il se porte comme un charme.

— Parfait, dit le juge en se levant. Il y a encore beaucoup à faire, Ma Jong. Nous allons retourner dans la salle et ouvrir la crypte. Les sbires ne vont pas tarder à arriver avec tout le matériel pour enlever les corps et l'or.

Le juge traversa la cour, suivi de ses deux lieutenants. Ma Jong poussa un profond soupir.

— Les femmes, dit-il d'un air lugubre au sergent Hong, sont des créatures volages !

— C'est ce que l'on dit, répondit distraitement le sergent.

— La jeunesse recherche la jeunesse, sergent, répondit Ma Jong en posant sa grande main sur l'épaule de Hong. La vie se charge de nous l'apprendre, mais c'est douloureux.

Le sergent Hong se rappela soudain le regard amoureux que le jeune sbire blessé avait jeté à Nuage de Printemps, et la façon dont celle-ci en avait rougi. Il se contenta donc d'acquiescer et pressa le pas.

XXI

*Le juge Ti descend dans une cave voûtée ;
on lui tient des propos
d'une haute tenue.*

Il était tard quand le juge Ti eut achevé les tâches urgentes qu'imposait sa découverte au temple abandonné. L'or impérial avait été soigneusement pesé et sa valeur constatée, en présence de quatre témoins : tous quatre notables de Lan-fang, convoqués à la hâte au tribunal. Puis les cinquante lingots d'or avaient été répartis en cinq paquets scellés et placés dans le grand coffre du tribunal, devant lequel six soldats monteraient la garde toute la nuit. Au matin, Ma Jong apporterait l'or à la préfecture, escorté par une unité de gardes à cheval. Le préfet se chargerait alors de le faire parvenir à la capitale de l'Empire.

Quand le juge eut signé et apposé son sceau sur le rapport destiné au préfet, il demanda au sergent Hong de le mettre dans une grande enveloppe officielle. Il se dirigea vers la table de toilette, dans le coin de la pièce, et se passa une serviette humide sur le visage et le cou.

— Tout est désormais clair, dit-il au sergent. Je ne pense pas que Yang fasse des révélations étonnantes lors de l'audience de demain matin. A mon avis, il avouera tout : avoir été l'instigateur du meurtre de Li Ko, avoir tué de sa main Seng-san et leur avoir ensuite tranché la tête pour pouvoir intervertir les corps et dissimuler l'indice du tatouage conduisant au temple et à l'or. Il avouera également le meurtre du sbire. Il sait très bien quel sort l'attend et que rien ne pourra lui épargner le supplice prévu par la loi. Lorsqu'on l'a enfermé dans sa cellule, il avait l'air très calme et résigné.

Le juge se tut un instant. Il sortit un peigne de sa manche et entreprit de se peigner la barbe et les favoris. Puis il regarda le sergent d'un air grave et dit :

— Toutefois, tu auras constaté, Hong, qu'il reste encore quelques fils à démêler dans cette affaire. Je ne crois pas avoir à prendre d'autres mesures judiciaires, mais il est de mon devoir de m'en assurer. Ma Jong est encore occupé au temple à superviser le nettoyage de la crypte. Si tu n'es pas trop fatigué, Hong, j'aimerais que tu m'accompagnes en ville, j'ai quelqu'un à y voir.

— Je tiens absolument à vous y accompagner, Excellence, répondit calmement Hong. Car je ne pense pas qu'il s'agisse d'une visite très agréable.

Le juge Ti sourit faiblement. Comme son ami le connaissait bien !

— Merci, Hong. Nous n'allons pas nous changer, et sortirons par la porte de derrière. Nous louerons une chaise à porteurs dans la rue.

Les porteurs déposèrent la chaise devant le Temple du Dieu de la Guerre. Tandis que le juge réglait la course, le sergent Hong demanda à deux badauds assis sur les marches, à l'entrée du temple, où se trouvait un certain bordel de bas étage, situé dans un ancien baraquement militaire. Ils le renseignèrent avec un petit rire méprisant.

Les deux hommes se dirigèrent vers le quartier pauvre. Un gamin les conduisit jusqu'au baraquement, au coin de la ruelle tortueuse. Toutes les fenêtres du bâtiment délabré étaient à présent ouvertes. Des femmes outrageusement fardées s'y penchaient ; tout en s'éventant avec des éventails de soie aux couleurs criardes, elles interpellaient les passants. Mais dans la rue, les hommes ne leur prêtaient aucune attention : rassemblés par petits groupes, ils commentaient les événements du temple abandonné. Les coolies et les mendiants qui avaient accompagné le cortège du juge Ti s'étaient empressés de colporter les nouvelles en ville.

Le juge Ti reconnut le soupirail voûté et muni de barreaux que lui avait décrit Ma Jong, ainsi que la petite entrée, basse et obscure un peu plus loin. Elle évoqua au juge Ti l'entrée d'un caveau.

Suivi du sergent Hong, il descendit les marches raides.

Après l'animation de la rue, le silence qui régnait dans la cave était troublant. Le vieillard vêtu de noir était toujours perché dans l'encadrement du soupirail, la tête sur la canne de bambou posée en travers de ses genoux. Au fond, la chandelle éclairait la silhouette colossale du Roi, le visage enfoui au creux de ses bras croisés. Il avait l'air de dormir.

Au moment où le juge s'avançait vers la table, un bruissement parvint d'en haut, et une voix aiguë glapit :

— Une barbe, Le Moine ! Une barbe ! Réveille-toi !

La canne décrivit un large cercle et plongea vers le sol de façon menaçante.

— Reste tranquille, toi ! cria le juge au chauve. Je suis le magistrat.

L'homme tapi dans le soupirail se recroquevilla, mort de peur, contre les barreaux de fer.

Le Roi avait relevé la tête. Il désigna un tabouret devant la table.

— Asseyez-vous, Magistrat. Vous devez être fatigué ; à ce que je sais, la soirée a été éprouvante.

Le juge Ti s'assit sur le tabouret de bambou, tandis que le sergent Hong restait debout derrière lui. Le juge observa en silence la large face ridée du géant aux yeux fixes et au grand front. Puis il porta ses regards sur le plateau de la table, entièrement recouvert de signes cabalistiques gravés dans la masse. Il poussa un soupir et massa ses genoux engourdis ; il était resté debout toute la soirée.

— Eh bien, que puis-je faire pour vous ? s'enquit le Roi d'une voix caverneuse.

— Vous pouvez m'aider de vos conseils, Le Moine, répondit le juge. On ne vous appelle pas ainsi par hasard, n'est-ce pas ? Vous avez effectivement été moine dans le temps, au Temple des Nuages pourpres. Il y a longtemps de cela, lorsqu'on y pratiquait encore les rites ésotériques. Par la suite, après la fermeture du temple, vous avez fondé l'Ermitage en compagnie d'une religieuse. Voilà pourquoi je vous considère comme un expert en matière de temples, Le Moine.

Le géant hocha lentement la tête.

— Oui, Magistrat, ceux qui vous tiennent pour un homme éminemment intelligent ont raison. Vous n'avez aucunement besoin de mes conseils, ni de quoi que ce soit d'ailleurs. Et encore moins de ma part.

— Si, justement, sur un détail secondaire. Dans les temples, les bouches d'aération des cryptes ne sont-elles pas toujours pourvues de grilles ? Pour empêcher les rats d'y pénétrer ? Sans parler des lapins, naturellement.

Le Roi resta parfaitement immobile, mais ses épaules étonnamment larges s'affaissèrent un peu plus. Regardant le juge de sous ses sourcils gris, il murmura :

— Alors, vous êtes au courant... Vous êtes intelligent, Magistrat. Je l'ai déjà dit et je le dirai encore !

— Vous n'avez pas pensé aux grilles, Le Moine, mais vous avez fait une erreur bien plus grave : le texte du message que vous avez déposé dans le coffret était très maladroit. Pourquoi une jeune fille en train de mourir de faim et de soif aurait-elle ajouté l'*année* à la date de son message ? Je me suis immédiatement rendu compte que ce n'était pas normal. Ensuite, après avoir compris que le disque de jade était destiné à indiquer l'endroit où elle était prétendument enfermée, j'ai été convaincu d'être en présence d'un faux. En admettant qu'elle ait pu trouver un tel coffret d'ébène dans les détritus de la crypte, et en supposant encore qu'elle ait eu un briquet à amadou pour allumer les vieilles chandelles jetées, aucun individu sensé n'aurait cru une jeune fille, à l'article de la mort, capable d'imaginer une machination aussi compliquée. (Désignant le dessus de la table, il poursuivit :) Un tel plan ne pouvait émaner que de l'esprit perverti d'un individu obsédé jour et nuit par ses figures cabalistiques.

— Et pourquoi aurais-je forgé un faux message d'une jeune fille sur le point de mourir, Magistrat ?

— Pour faire chanter son meurtrier. C'est l'un de vos mendiants, Le Moine, qui a apporté le coffret d'ébène à Li Ko, avec consigne de dire qu'il avait été trouvé près d'un terrier de lapin, derrière le temple. Le terrier de lapin ferait penser le meurtrier à une bouche d'aération et lui ferait comprendre aussi que l'expéditeur du coffret savait tout : que son acte odieux a été découvert parce que Mademoiselle Jade ne s'est pas tuée en tombant dans la crypte et qu'elle a écrit ce message avec son propre sang juste avant de mourir, puis l'a fait parvenir à l'extérieur en le jetant dans la bouche d'aération. Quant à moi, cela m'a fait penser à autre chose, à un détail très important : à savoir, que l'expéditeur du coffret savait que le meurtrier, après avoir poussé Mademoiselle Jade dans la crypte, avait aussitôt refermé la trappe, sans vérifier si elle était bien morte en tombant. Répondez-moi, Le Moine, comment l'avez-vous su ?

Le Moine ne répondit pas tout de suite. Il semblait perdu dans ses pensées. Quand enfin il se décida à parler, ce fut d'une voix extrêmement lasse.

— Tala est morte, et je ne vais pas tarder à la rejoindre. Pourquoi vous le cacher à présent, Magistrat ? Tala se trouvait au temple, cette fameuse nuit du 10. Des liens mystérieux la rattachaient au centre de la grande salle : la fleur de lotus sacrée, symbole éternel de l'origine de la vie, sanctifiée par le sacrifice perpétuel. Toutes les nuits de pleine lune, elle venait y brûler le bois sacré. Tala a vu entrer cette jeune fille et l'a suivie. Li Ko se tenait au bord de la crypte ouverte et Tala l'a vu pousser la jeune fille avant de refermer la trappe. C'est elle qui me l'a dit. Elle n'a pas demandé à Li Ko pourquoi il l'avait précipitée au fond. Tala ne posait jamais de questions.

— Elle l'a pourtant fait hier, rétorqua le juge. Quand mon lieutenant est allé la voir, elle a interrogé son dieu au sujet de la jeune fille, après avoir appris qu'elle s'appelait Jade. Il lui a été répondu qu'elle était morte le 10, des suites d'une chute. C'était exact, car j'ai examiné son corps cette nuit. Son dieu lui a également appris qu'elle allait mourir aujourd'hui. Et cela aussi s'est révélé vrai.

Le Moine hocha lentement la tête.

— Tala était forte, Magistrat. Plus forte que moi, que Li et que Yang. Mais son dieu l'était encore davantage. Elle était liée à lui par les étranges rites qui permettent de franchir la frontière entre la vie et la mort. Vous parliez de mon faux message, Magistrat. Je l'ai envoyé à Li pour lui faire peur. Lui faire peur pour qu'il me donne cet or, afin que je puisse reprendre Tala à son dieu. Car quand ce n'était pas à lui, c'était à moi qu'elle appartenait.

Le lendemain, j'ai envoyé Le Bigle, mon ancien bras droit, là-bas dans le soupirail, chez Li, pour qu'il vienne me voir ici. Mais apparemment il n'a pas compris car il n'est jamais venu.

— Vous n'auriez pas dû recouvrir le coffret de boue sèche, Le Moine. C'est Yang qui est allé ouvrir et qui a acheté le coffret, mais ni lui ni Li ne l'ont jamais regardé de plus près. Li l'a vendu ainsi que quelques babioles à un antiquaire auquel je l'ai moi-même racheté. Tout d'abord...

Le Moine leva sa grande main.

— Assez parlé de ce maudit coffret, Magistrat. Parlons plutôt de Li. Tala l'a rejeté comme on crache un morceau de sorgho trop mâchonné. Et elle a pris Yang. Elle est venue me voir l'autre jour et m'a dit que vous la surveilliez, mais que cela était sans importance. Yang savait à présent où se trouvait l'or et il avait tué Li et son homme de main, Seng-san. Elle allait passer la frontière avec Yang. C'était le moment d'ailleurs, parce que les siens se retournaient contre elle, et son dieu lui avait prédit qu'elle allait mourir et le rejoindre pour toujours. Mais cette fois-ci, elle ne l'a pas cru. Et à présent, elle est morte. Les dieux ont toujours le dernier mot, Magistrat, toujours. (Le Moine fixa le vide, l'air absent, quand il leva brusquement les yeux vers le juge et demanda :) Qu'avez-vous fait de son corps ?

— Il a été incinéré et ses cendres dispersées, selon ses dernières volontés.

Le Moine souleva les deux mains en un geste de désespoir.

— Je l'ai donc perdue à tout jamais. Le vent va disperser ses cendres dans la plaine et elles se transformeront en une sorcière blanche qui traversera les airs, blanche et nue sur son destrier noir, aux côtés de son seigneur et maître, le dieu rouge. Ils fileront tous deux comme le vent du désert, et quand les Tartares l'entendront mugir, ils se réfugieront sous leurs tentes et diront leurs prières. Vous auriez dû ensevelir ses cendres, Magistrat.

— La loi, répondit sèchement le juge, exige que l'on disperse les cendres de ceux qui n'ont plus de parents connus.

— Vous ne croyez pas à ce que je vous ai raconté, n'est-ce pas, Magistrat ?

— Il ne s'agit pas de croire ou de ne pas croire. Votre question est déplacée, Le Moine. Dites-moi, d'où provient l'or du temple ?

— Je l'ignore. Tala le savait, elle, mais elle ne me l'a jamais dit. Quelqu'un a dû le cacher là, l'année dernière. De mon temps, il n'y était pas.

— Je vois. Li Ko a-t-il rencontré Tala au temple ?

Le Moine resta silencieux un long moment. La tête baissée, il suivait du doigt les figures gravées dans la table.

— Li était quelqu'un d'instruit et un grand artiste. Mais il voulait en savoir trop, beaucoup trop. Il existe des choses que même un homme avisé comme vous ferait mieux de ne pas savoir, Magistrat. Cependant, je vous dirai simplement ceci : il y a vingt ans, j'en avais quarante et Tala vingt à l'époque, nous étions tous deux les supérieurs du Temple des Nuages pourpres. Lorsque, cinq ans plus tard, les autorités ont fermé le temple, nous avons feint de renoncer à nos rites et avons continué à les pratiquer en secret, à l'Ermitage. Car nous étions des initiés, instruits de tous les mystères. Nous en savions long sur ce que les gens appellent, faute de mieux, le commencement et la fin de l'Etincelle de vie. Nous en savions beaucoup trop. Mais en revanche, Magistrat, nous ignorions que l'homme était condamné à tourner en rond toute sa vie. Au moment précis où l'on croit être arrivé au bout, près de saisir l'ultime mystère, on se retrouve brusquement ramené au point de départ. Tala, la grande prêtresse, initiée à tous les secrets, est tombée amoureuse de Li Ko. Et elle m'a quitté.

Le Moine éclata d'un grand rire qui résonna dans la cave déserte. Le vieillard se mit à sautiller dans son soupirail. Puis le Moine se reprit et remarqua sombrement :

— Vous ne riez pas, Magistrat. Vous avez raison. Car le plus grand éclat de rire est encore à venir. Vous croyez peut-être que moi, le grand prêtre de l'amour ésotérique, je me serais contenté de hausser les épaules et de continuer comme si de rien n'était, n'est-ce pas ? Eh bien, non ! Lorsqu'elle a quitté l'Ermitage pour aller vivre en ville, je l'ai suppliée de ne pas me quitter, Magistrat, véritablement suppliée ! (Faisant un effort surhumain, Le Moine se souleva sur son bras et s'écria :) Riez maintenant, Magistrat ! Moquez-vous, vous dis-je !

Le juge Ti regarda le moine bouleversé droit dans les yeux.

— J'ignore quels étaient les sentiments de Tala à votre endroit, Le Moine. En revanche, je sais qu'elle aimait toujours sa fille. Hier soir, elle a essayé d'attirer mon lieutenant derrière le temple pour que Yang le tue en faisant s'écrouler un pan de mur. Mais à la dernière minute, voyant votre fille surgir derrière lui, elle a levé les bras dans son affolement. Ce geste brusque a effrayé mon lieutenant. Il s'est arrêté net, et cela lui a sauvé la vie.

Le Moine détourna la tête.

— J'avais espéré, dit-il à voix basse, que Tala se débarrasserait de Yang comme elle l'avait fait de Li, qu'elle le quitterait dès qu'elle aurait récupéré l'or. J'espérais aussi pouvoir alors l'éloigner de ce dieu redoutable. Car si l'étincelle de vie s'est éteinte en moi, je connais encore les rites secrets et les sortilèges indicibles. (Un profond soupir souleva sa large poitrine.) Oui, j'avais espéré la libérer de ses liens et l'emmener avec notre fille de l'autre côté de la frontière, chez les nôtres. Retraverser la vaste plaine à cheval ! Chevaucher des jours et des jours dans l'air pur et sec du désert !

— Je me rappelle, dit posément le juge Ti, avoir dit à Yang que le cheval qui quitte l'attelage errera dans la plaine, libre et sans entraves. Mais un jour viendra où il commencera à se sentir seul et las. Alors il se retrouvera isolé et abandonné — la piste effacée par le vent et le chariot disparu par-delà l'horizon.

Perdu dans ses pensées, Le Moine ne semblait pas l'avoir entendu. Quand il parla de nouveau, sa voix était très douce.

— Sans son dieu, Tala n'aurait été qu'une coquille vide, comme moi. Car ce que les dieux nous laissent dépenser, ils ne nous le rendent jamais. Mais deux individus qui s'aiment, quand bien même seraient-ils vides et âgés, peuvent au moins attendre la mort ensemble. A présent que j'ai perdu Tala, je vais devoir l'attendre seul. Ce ne sera pas trop long. (Il s'exprimait si doucement qu'il était à peine audible. Levant la tête, il chuchota d'une voix rauque :) Il se fait tard, Magistrat. Vous devriez partir. A moins que vous ne vouliez me traîner en justice ou... ou recevoir mon témoignage.

Le juge se leva et déclara en secouant la tête :

— Cette affaire est terminée, Le Moine. Il n'y a plus rien à faire, ni à dire. Plus rien. Au revoir.

Le juge se dirigea vers l'escalier de la cave, suivi du sergent Hong. Le petit homme, blotti dans le soupirail, s'était enveloppé dans sa robe noire en lambeaux, sa tête chauve dans les épaules, telle une corneille aux plumes ébouriffées, sur son perchoir.

POSTFACE

Le juge Ti a réellement existé ; il a vécu de l'an 630 à l'an 700, sous les T'ang. Outre la notoriété qu'il acquit en tant que détective émérite, il fut également un brillant homme d'Etat qui, dans la seconde moitié de sa carrière, joua un rôle de premier plan dans la politique intérieure et étrangère de l'Empire T'ang. Toutefois, les aventures relatées ici sont entièrement fictives, et le district de Lan-fang, où elles sont censées s'être déroulées, est purement imaginaire.

La nouvelle secte bouddhique, aux croyances ésotériques de laquelle il est plusieurs fois fait allusion, est le tantrisme, qui était à cette époque florissant en Inde et à l'étranger. (Voir l'Appendice I de mon livre *la Vie sexuelle dans la Chine ancienne,* traduction française, Gallimard, 1971.)

A l'époque du juge Ti, les Chinois ne portaient pas de nattes ; cette coutume leur fut imposée après l'année 1644, lors de la conquête mandchoue. Avant cette date, ils rassemblaient leurs cheveux en chignons. Ils portaient de petites coiffes chez eux comme à l'extérieur, et aussi bien les hommes que les femmes étaient vêtus de larges robes à manches longues semblables au kimono japonais — qui a en fait pour origine le costume chinois de l'époque des T'ang. Seuls les militaires et les gens du peuple portaient de courtes tuniques laissant apparaître des pantalons larges et des jambières. Le thé, l'alcool de riz et diverses sortes de liqueurs fortes étaient des boissons nationales. Le tabac et l'opium ne furent introduits en Chine que plusieurs siècles plus tard.

Robert Van Gulik.

CHRONOLOGIE DES ENQUÊTES
DU JUGE TI
DANS LES ROMANS
DE ROBERT VAN GULIK

Le juge Ti est né en 630 à Tai-yuan, dans la province du Chan-si. Il y passe avec succès les examens littéraires provinciaux.

En 650, il accompagne son père à Tch'ang-ngan — alors la capitale de l'Empire chinois — et y passe avec succès les examens supérieurs. Il prend pour femmes une Première Epouse et une Seconde Epouse, et travaille comme secrétaire aux Archives impériales.

En 663, il est nommé Magistrat et affecté au poste de Peng-lai. Les affaires criminelles qu'il débrouille alors sont contées dans les ouvrages suivants :

The Chinese Gold Murders, Trafic d'or sous les T'ang (coll. 10/18, n° 1619).
   * Five Auspicious Clouds, « Cinq nuages de félicité », * The Red Tape Murder, « Une affaire de ruban rouge », * He came with the Rain « Le passager de la pluie », dans Le Juge Ti à l'œuvre (coll. 10/18, n° 179).
The Lacquer Screen, le Paravent de laque (coll. 10/18, n° 1620).

En 666, il est nommé à Han-yan :

The Chinese Lake Murders, Meurtre sur un bateau-de-fleurs (coll. 10/18, n° 1632).

** *The Morning of the Monkey* « Le Matin du Singe », dans *le Singe et le Tigre* (coll. 10/18, n° 1765).

The Haunted Monastery, le Monastère hanté (coll. 10/18, n° 1633).

* *The Murder on The Lotus Pond*, « Meurtre sur l'étang-de-lotus », dans *le Juge Ti à l'œuvre* (coll. 10/18, n° 1765).

En 668, il est nommé à Pou-yang :

The Chinese Bell Murders, le Squelette sous cloche (coll. 10/18, n° 1621).

* *The Two Beggars*, « Les deux mendiants »,
* *The wrong Sword*, « La fausse épée », dans *le Juge Ti à l'œuvre* (coll. 10/18, n° 1794).

The Red Pavilion, le Pavillon rouge (coll. 10/18, n° 1579).

The Emperor's Pearl, la Perle de l'Empereur (coll. 10/18, n° 1580).

Necklace and Calabash, le Collier de la Princesse (coll. 10/18, n° 1688).

Poets and Murder, Assassins et Poètes (coll. 10/18, n° 1715.

En 670, il est nommé à Lang-fang :

The Chinese Maze Murders, le Mystère du labyrinthe (coll. 10/18, n° 1673).

The Phantom of The Temple, le Fantôme du temple (coll. 10/18, n° 1741).

* *The Coffin of The Emperor*, « Les cercueils de l'Empereur », * *Murder of New Year's Eve*, « Meurtre au Nouvel An », dans *le Juge Ti à l'œuvre* (coll. 10/18, n° 1794).

En 676, il est nommé à Pei-tcheou :

The Chinese Nail Murders, l'Enigme du clou chinois.

** *The Night of The Tiger*, « La Nuit du Tigre » dans *le Singe et le Tigre* (coll. 10/18, n° 1765).

En 677, il devient président de la Cour Métropolitaine de Justice et réside dans la Capitale :

The Willow Pattern, le Motif du saule (coll. 10/18, n° 1591).
Murder in Canton, Meurtre à Canton (coll. 10/18, n° 1558).

Il meurt en 700, âgé de soixante-dix ans.

Les huit titres précédés d'un * sont les récits réunis sous le nom de *Judge Dee at Work*, et les deux précédés de ** ceux qui composent *The Monkey and The Tiger*.

Le lieu et la date de sa naissance ainsi que ceux de sa mort sont réels, les autres événements ont été inventés par Robert Van Gulik.

TABLE DES ILLUSTRATIONS

TABLE

Achevé d'imprimer en février 1987
sur les presses de l'Imprimerie Bussière
à Saint-Amand (Cher)

— N° d'édit. 1620. — N° d'imp. 414. —
Dépôt légal : novembre 1985

Imprimé en France

Nouveau tirage 1987